건국 대통령 **이승만**

건국 대통령 이승만

유현종 실록소설 • **1**

가연

차 례

I

Ⅱ

5

I

1. 복사골 신방新房

숭례문 너머 남산의 밑자락 복사골桃洞 골짜기에는 분홍빛 복사꽃이 여기저기 활짝 피어 무르익은 봄날 이른 아침을 맞이하고 있었다.

"어여 아침 먹자. 서둘러야지."

아랫목에 앉은 아버지李慶善가 맞은편에 앉은 아들에게 말했다.

아버지는 의관을 차려입기는 했지만 낡고 해져서 일견 보아도 퇴락하고 가난한 양반 티가 나고 있었다.

나이는 채 예순 살이 못 되어 보이는데 얼굴만은 훤하고 걱정 근심이 없어 보였다.

하릴없이 무위도식하는 전형적인 양반 한량 모습이었다. 그에 비해서 열여섯 살 아들은 잘 깎아놓은 밤톨처럼 잘생기고 기품이 있어 보였다.

"더 먹지 왜 수저를 놔?"

숭늉을 들고 들어오던 어머니가 인자한 얼굴로 아들을 바라보며 물었다.

"아니에요. 많이 먹었어요."

"장가드는 날이라 마음이 뜨니?"

"어머니도."

"나도 다 먹었다. 승만承晩아, 일어나거라. 의관을 정제하고 조상님 뵈어야지."

"예."

이윽고 부자는 조상의 위패를 모신 윗방으로 들어갔다. 행세하는 양반 부잣집에는 안채 뒤에 조상을 모시는 사당이 있기 마련인데 초라한 초가삼간 집의 가난한 이 집에는 따로 사당을 지을 수가 없어 윗방에 위패를 모시고 있었던 것이다.

아버지는 향을 피우고 휘장을 걷더니 먼저 위패 앞에 재배를 올렸다.

"조상님들께 고합니다. 오늘 미거한 가돈家豚, 전주 이씨 양녕대군讓寧大君 16대손인 승만이가 혼례를 올리옵니다. 집안의 경사이오니 부귀다남 할 수 있도록 격려 내려주옵소서. 삼가 앙망하옵니다."

절을 마친 아버지는 아들에게 술잔을 올리고 재배하도록 명했다. 절을 끝내자 아버지는 음복飮福한 후에 마주 앉은 아들에게 한마디 했다.

"오늘은 보통 경사스러운 날이 아니다. 6대 독자인 네가 혼례를 치르고 새 가정을 이루며 성인이 되는 날이기 때문이야. 어찌하다 불행히도 왕손의 집안이 이토록 벽립지세壁立之勢에 이르도록 퇴락한 가문이 되었지만 그래도 왕손은 왕손이니 항상 품위를 지키고 체통을 중히 여겨 기상을 떨치도록 하여라. 그리고 수신제가치국평천하修身齊家治國平天下란 말을 명심하거라. 집안을 잘 다스리지 못하는 자가 어찌 나라를 경영할 수 있느냐? 그만큼 가정 다스리는 일이 중요하다는 뜻이다. 알아듣겠느냐?"

"예."

그때 방문이 열리고 어머니 얼굴이 보였다.

"장가를 들려면 결발結髮. 상투은 해야지요?"

"음, 그렇구면. 거기다 놓으시오."

아버지는 어머니가 들고 있던 작은 거울을 아들 앞에 놓게 했다.

그때 어머니가 작은 검은색 무명 주머니를 아들에게 주었다.

"이게 뭐예요?"

"열어보아라."

아들은 호기심 어린 눈으로 주머니를 열었다. 그 속에서 나온 건 촘촘하게 만든 작은 참빗이었다. 새것도 아니었다. 어릴 때부터 어머니가 머리를 빗겨줄 때마다 쓰던 참빗이었다. 머리를 빗으려면 먼저 굵은 얼레빗으로 가려놓고 참빗으로 곱게 빗어 내린다.

머리끝이 엉켜 있기라도 하면 빗살 틈에 낀 머리카락을 쥐어뜯는 것처럼 아파 눈물까지 찔끔거리게 해주는 게 참빗이었다. 그뿐만 아니라 머릿니와 서캐까지 훑어내는 빗도 참빗이었다.

"이걸 저한테 왜 주세요?"

"댕기 머리 할 때는 어머니가 머릴 빗겨주었지만, 장가를 들어 상투를 틀면 머리 간수는 스스로 해야 하는 법이야. 매일 아침잠에서 깨어나면 세수를 하고 참빗으로 머리를 정갈하게 빗어 위로 올려 스스로 상투 매듭을 만들고 그런 다음 망건을 써야 한단다."

"허! 제대로 상투를 틀려면 연습을 많이 해야겠군요."

"그래서 어른 되기가 힘들다는 게야. 자, 거울 앞에 앉아봐라. 오늘까지는 내가 빗겨줄 테니."

어머니는 아들의 뒤에 바투 앉아서 상투 하기 위해 참빗으로 머리를 빗겨주기 시작했다. 어머니 숨결이 바로 뒤통수에 전해지고 있었다. 생활 능력도, 그렇다고 넉넉한 재산을 가진 몰락 양반도 못 된 승만의 아버지는 젊어서 과거에 실패하자 한량으로 팔도를 떠돌아다니거나 아니면 집 안으로 엇비슷한 한량들을 끌어들이고 보학문답譜學問答이나 나누며 세월을 보내는 게 일이었다.

보학문답이라 하면 족보 따지는 문답을 말한다. 문답하려면 자기 집안 친가와 외가의 팔고조八高祖

까지 달달 외우고 있어야 한다.

양반들이 처음 만나 수인사를 나눌 때 이 사람이 진짜 뼈대 있는 양반인지 아닌지 알려면 문답 몇 번 오가면 당장 알 수 있다.

"관향貫鄕이 어떻게 되십니까?"

성씨의 본관이 어디냐는 물음이다.

"안동김씨입니다."

거기서 끝나면 안 된다. 안동김도 구안동이 있고 신안동이 있기 때문이다.

"입향조入鄕祖. 本貫宗祖는 누구시지요?"

"그분은 문집이 있습니까? 있다면 무엇 무엇이 있지요? 그리고 갈장碣狀은 누가 쓰셨지요?"

이런 것들이 보학문답이다. 이런 것들을 제대로 못 알아듣거나 어물어물하면 진짜 양반 취급을 못 받아 차려내는 밥상마저 차이가 난다. 이 문답이 끝나면 구체적으로 자랑스러운 집안 인물들을 거론하며 하루해를 보내는 것이다.

어려서부터 승만은 그런 아버지를 못마땅해했다. 어머니를 많이 의지하고 살아왔다. 머리를 빗겨줄 때

등 뒤에서 나는 어머니 숨소리와 그 냄새는 평생 잊지 못해 그때마다 승만은 품속에 지니고 다니던 참빗을 꺼내 들고 냄새를 맡곤 했다고 훗날 술회했다.

장가들던 날 어머니에게서 받은 그 참빗은 하와이 누옥에서 외롭게 고국에 다시 돌아갈 날만을 기다리다 이 세상을 하직할 때까지도 우남은 어머니가 준 그 참빗을 가슴에 담고 있었을 정도로 평생 가지고 다녔다. 어머니를 가지고 다녔던 것이다.

이윽고 말끔하고 단정하게 결발을 하고 망건을 쓰자 마당 안이 소란스러워졌다. 친구들이 왔던 것이다.

"신랑 어딨는가? 어서 장가들 채비 해야지?"

이병주李炳冑의 목소리였다. 서당 친구들이었다.

"잠시만 기다리게. 사모관대紗帽冠帶는 해야지."

승만은 이미 빌려다 놓은 신랑 옷을 입느라 서둘렀다. 어머니가 도와주었다. 이윽고 승만이 밖으로 나왔다. 마당에는 서당 친구들과 동네 친구들이 다 모여있었다. 모두 환호성을 올렸다.

"제법 의젓한데? 자, 말에 올라야지?"

혼례청이 있는 신부 집까지 태우고 갈 청淸노새가

서 있었다. 그 노새는 아버지의 유일한 재산이었다. 아버지 경선공은 방랑기가 발동되면 그 노새를 타고 집을 나섰다가 어느 때는 며칠 만에, 어느 때는 가뭇없이 소식 없다가 1년 만에 돌아오기도 했다. 어려서부터 한밤중에 노새 방울 소리가 들리면 집 나가신 아버지가 마당으로 돌아오는 소리라는 걸 알았다.

오늘은 혼롓날이라서인지 노새까지 성장盛裝하고 있었다. 요란한 무늬가 있는 안장에 색실로 나귀 머리를 울긋불긋 단장해 놓았는데 그게 불편한지 노새는 자꾸 머리를 흔들며 두 눈을 멀뚱거리고 있었다.

예식이 치러질 처가는 노새를 타고 갈 만큼 먼 동네에 있지 않았다. 승만의 집에서 멀지 않은 곳에 있었으니 같은 동네였다. 규수는 방년 16세의 밀양박씨, 박승선 朴承善이었다. 승만과는 동갑내기였다. 남산골에 살던 전주이씨 종가 친척댁에서 맺어준 인연이었다.

규수의 집 또한 빈한하기가 승만의 집과 다름없었다. 복사골에서 이십여 그루 복숭아나무를 가꾸고 작은 과수원을 하는 집이었다. 혼례는 규수 집에서 올리게 돼 있었다. 드디어 노새 등에 올라탄 신랑은 동네 골목길을 나섰다. 고삐는 덕제李德濟네 머슴이 잡고 앞서 거들먹거리며 가고 있었고 뒤에는 친구들과 친척들이 따르고 멀찍이 승만의 부모가 뒤따라오고 있었다.

승만은 6대 독자였다. 위로 형이 하나 있었고 누님이 두 명 있었으나 형이 어려서 병치레를 하다가 죽었기 때문에 독자가 된 것이다. 그는 1875년 3월 26일 황해도 평산군平山郡 능안골能安洞에서 태어났다. 신랑 뒤를 따르는 친척이 몇 안 되는 것은 아버지가 5대 독자이고 승만이 6대 독자이기 때문이었다.

아버지 경선공은 조선조 3대 왕인 태종의 맏왕자 양녕대군파의 직계 15대손이었고 어머니는 김해 김씨였다. 경선공의 집안은 누대에 걸쳐 한양에서 산 왕계王系의 양반가였고 조부 때까지만 해도 잘살았으나 경선공의 부친 때부터 가세가 울어 경선공대에 와서는 더는 한양에서 살 수 없어 처가가 있던 평산으로 이주했다.

어머니가 승만을 낳은 것은 마흔 살이 지나서였고 노산老産이라 고생했다. 하늘을 날던 용이 꼬리를 치며 가슴으로 안겨드는 태몽을 꾸어 아들을 낳았다고 초명初名은 승룡承龍이라 했다. 승만이라 이름을 바꾼 것은 지금부터 2년 전인 열네 살 때, 열심히 서당 공부를 하면서부터였다.

총명하고 공부를 잘했던 승만은 이름뿐 아니라 벌써 스스로 아호도 지어 가지고 있었다. 아호는 우남雩南이었다. 그는 집이 있는 곳이 복사골桃洞 우수현雩守峴이었고 전부터 가뭄이 들면 기우제祈雨祭를 지내던 곳이었다. 우雩남은 기우제를 지내는 남쪽 동네雩南란 이름에서 얻은 것이었다.

어찌 보면 단순한 아호 같지만 따지고 보면 깊은 뜻이 있었다.

서당 친구들이 무슨 뜻으로 아호를 지었느냐고 묻자 승만은 주저없이 대답했다.

"상고시대 옛날의 제왕은 덕이 있어야 하였지만 그보다는 치수관개治水灌漑를 잘 다스리고 천문지변天文之變을 미리 잘 깨우치는 능력을 갖춰야 명군名君의 소리를 들었다고 한다. 농사천하지대본農事天下之大本의 사회였기 때문이었지. 그뿐이 아니지. 지금의 우리 임금님은 흉내도 내시지 못하지만, 가뭄이 계속되어 흉년이 들면 임금은 자신이 부덕하여 하늘이 노한 것으로 여기고 쩍쩍 갈라진 논바닥에 차일을 치고 행재소行在所. 임시政廳를 열어 베옷을 입고 정사를 보았단다. 그런 다음에는 남쪽 하늘을 바라보고 기우제를 지냈지. 그쯤 되면 하늘이 감동하여 비를 내려주셨단다. 그래서 기우제 우, 남녘 남, 우남이라 한 거지."

직계가족이나 가까운 친척은 없었다. 하지만 혼례식은 성황리에 치러졌다. 동네잔치라 온 동네 이웃들이 신부 집 마당 안에 다 모여들었던 것이다. 예식이 끝나자 국수 잔치가 벌어졌다. 돼지 한 마리를 잡아 온 동네 이웃까지 나누어주고 먹고 술을 마셨다.

그날 밤 화촉 신방은 규수 집에 마련이 되었다. 저녁 늦게까지 잔치가 계속되는 바람에 신랑과 각시는 자정이 지나서야 방에 들었다. 친구들과 아주머니들은 첫날밤 신랑 신부를 지켜보려고 방문에 구멍을 내고 지켜보기 시작했다.

친구들은 모두 어릴 적부터 서당에서 동문수학한 동무들이거나 아니면 남산에 올라가 연날리기를 하고 한강에 나가 낚시질을 하거나 얼음을 지치던 꾀복쟁이 동무들이었다. 승만네가 해주 평산에서 한양으로 다시 이사를 온 것은 승만의 나이 만 두 살 때였다.

학자 못지않은 학식을 가졌던 아버지 경선공이 6대 독자 아들의 교육을 생각하여 맹모 삼천지교三遷之敎의 모범을 실천에 옮겼던 것이다.

아들만은 자기 전철을 밟지 않게 하고 싶었다. 그러자면 시골에서 떠나 한양으로 나와 교육을 받고 성장하고 매식년每式年 과거에 응시하여 환로宦路에 나가 출세하게 하는 것이 소원이었다. 그래서 이주를 한 것이었다.

승만은 아버지의 기대에 어긋남이 없이 잘 따라주었다. 어느 날 아버지는 승만과 어머니를 불러 앉히고 낙동洛洞에 서당이 생긴다니 그곳에 가 공부를 했으면 한다고 했다.

"어디서 들었어요?"

어머니가 물었다.

"혜랑惠廊의 집에 갔다가 혜랑에게서 들었소. 좌승지를 지내신 우리 종씨인 이건하李乾夏 대감이 마침 벼슬에서 물러나 쉬고 있는데 과부가 되어 아들 하나만 의지하며 사는 형수가 안됐다 싶어 그 아들을 가르치기 위해 서당을 연다고 하오."

"학동들은 다 모집이 됐나요?"

"서른 명 정도 왔다던데?"

"그럼 다 찬 거 아니에요?"

"우리 승만이는 문중 아이이니 언제라도 받아줄 거라 했소."

혜랑은 종중 친척인 이호선李浩善을 말함이었다. 이호선은 동대문 훈련원 뒤에 살고 있었는데 경선공과는 친하게 지내고 있어 자주 왕래를 하는 사이였다. 그리하여 승만은 낙동서당會賢洞 부근에 다니게 되었다. 일곱 살이 되던 해였다.

낙동서당은 일명 범교네 서당이라 불리기도 했는데 그건 서당을 연 이 대감의 조카 이름이 범교였기 때문이었다. 승만은 이곳에서 〈천자문〉을 떼었고 이어서 〈동몽선습童蒙先習〉도 마저 떼었는데 훈장인 이 대감은 승만을 "신통한 시동"이라 칭찬하곤 했다.

이듬해인 1882년. 서당 문을 연 지 1년 만에 타의에 의해 문을 닫게 되었다. 이른바 임오군란壬午軍亂이 일어났던 것이다. 조정에서는 군대의 현대화를 위해 신식군대인 별기군을 창설했다. 신식군대가 득세하게 되자 구식군대는 차별을 당하게 되었다.

월급으로 주던 쌀도 제대로 나오지 않았고 어쩌다 나오면 절반은 모래가 섞여 있었다. 그나마 모래가 섞였다는 것은 쌀을 빼내고 모래로 채웠다는 것이고 그런 짓을 한 자들은 상관들이란 걸 알자 구식군대는 반란을 일으키고 대궐에 난입하여 별기군을 만든 민비를 죽이겠다고 날뛰었다.

민씨와 가까웠던 이건하는 잘못하면 화가 자기 집안까지 미칠지 모른다는 불안 때문에 피난을 떠나기로 했다. 이건하는 솔거하여 식구들을 데리고 충청도 아산으로 낙향했다. 이때 텅 빈 이건하의 집과 서당을 지키며 들어가 살게 된 것은 승만네였다. 이대감의 청이 있어서였다.

승만네는 2년가량 낙동의 이 대감 댁에서 살았다.

승만네가 대감 댁을 비워주고 나오게 된 것은 임오군란이 진압되고 이듬해 김옥균 등이 갑신정변甲申政變(1884)을 일으켰다가 삼일천하로 끝나서 친일개화파가 세력을 잃고 수구파가 다시 득세하게 되자이건하도 무사해져 아산에서 낙동 집으로 돌아왔던것이다.

승만네는 그때 지금 사는 복사골 우수현으로 이사를오게 되었다. 마침 도동에 살고 있던 양녕대군의위패와 제사를 모시는 봉사손奉祀孫이며 대사간을 지낸이근수李根秀 대감이 종친 자손들을 위해 서당을 열게되어 승만도 그 도동서당에 들어갈 수 있었다.

그는 이 도동서당에서 〈사서삼경四書三經〉과 〈당송唐宋〉 시문을 익히며 〈통감절요通鑑節要〉 15권을 떼고〈시전詩傳〉 10권, 〈서전書傳〉 2권을 암송했고, 표表,부賦, 송誦, 명銘 등을 배우며 본격적으로 과거시험공부를 하고 대비했다.

아버지 경선공은 아들만은 무슨 일이 있더라도과거급제를 해야 한다고 소원하고 있었다. 그러나

나이가 어려 응시할 자격이 미달하였다. 그러다 14세가
되자 처음으로 과거를 볼 기회가 찾아왔다.

1887년. 과거시험 응시 나이는 25세 이상이었으나
그해만은 한 살 내려서 14세도 응시 자격을 주었다. 이는
동궁 세자 순종이 14세였고 그 동갑내기에게 특전을
베푼 것이다. 그러나 결과는 낙망이었다. 동당시東堂試
대과시험을 치렀으나 낙방을 하고 말았던 것이다.

2. 신학문의 전당
배재학당培材學堂

　본인보다 아버지의 실망이 더 컸다. 15세가 된 이듬해 부터는 나이 제한이 없어서 시험에 당당히 응시할 수 있었으나 계속해서 낙방만 하는 것이었다. 도대체 왜 떨어지는지 이유를 알 수가 없었다.

　승만은 누구보다 명석하고 머리가 좋아 서당에서도 언제나 수석이었다. 훈장도 낙방 이유를 알 수 없다 했다. 그러나 본인은 별로 낙심하지 않았다. 시험 보다는 남산에 올라가 마음껏 뛰어 노는 재미가 더

좋았던 것이다.

노는 것도 공부만큼이나 잘했다. 큰 키는 아니었으나 아담한 키에 강인한 체구를 가지고 있었다. 잔병치레도 없었고 무엇이든 잘 먹고 튼튼했다. 그리고 체력이 좋았다. 겨울철에 연날리기에서부터 꿩 사냥, 자치기, 씨름도 잘했으며 여름철이면 한강에 나가 친구들과 함께 수영 실력을 겨루곤 했다.

망명해서 독립운동하던 가난하던 시절, 사과 한 개를 하루 식사로 삼으며 돌아다니던 시절에도 지쳐서 쓰러지지 않은 것은 타고난 그의 체력 덕분이었다. 하지만 스무 살이 가까워지자 초조해지기 시작했다. 장가를 들어 아내까지 있는데 집안을 이끌어가야 한다는 부담감이 짓눌러 왔던 것이다.

그러던 어느 날 승만은 6개월을 예정하고 두문불출 시험공부에 매달렸다. 이제야말로 승부를 내야 한다고 결심을 했던 것이다. 그러던 어느 날 친구가 집으로 찾아왔다. 다른 친구들은 만나지 않고 돌려보냈으나 그날 찾아온 친구는 방에 들였다. 그 친구는 서당 친구로 승만보다 세 살이 위인, 평소 형이라

따르던 신긍우申肯雨였다. 신긍우는 신면후의 세 아들 중 둘째였다. 그는 서당 친구 신흥우의 형이었다. 신면후는 일찍이 기독교에 입신入信하여 개화당 활동을 하고 있던 신지식인이었다.

"왜 왔지요?"

이승만이 퉁명스럽게 물었다.

"음, 안타까워서 왔네. 자넨 세상이 어떻게 돌아가고 있는데 그래 쓸데없는 과거시험 공부만 하고 있는가?"

"공부 방해하려면 돌아가시오."

"자네가 과거시험에 왜 자꾸 떨어지는지 그건 잘 알고 있겠지? 자넨 말도 안 된다, 실력만 좋으면 왜 낙방하겠는가? 그렇게 우겨 왔지만, 매관매직賣官賣職, 과장팔폐科場八弊는 사실 중의 사실이야. 과거시험장의 썩은 폐단이 여덟 가지라는 거야."

"팔 폐단?"

"첫째, 차술차작借述借作. 남의 글을 제 것인 양 베껴 쓰는 것. 둘째, 수종협책隨從挾册. 시험관의 묵인하에 책을 숨겨서 들어가 베끼는 행위. 셋째, 정권분답

呈券粉遝. 밖에서 들여오는 답안지로 바꿔치기하기. 넷째, 입문유린入門蹂躪. 시험장 안으로 아무나 출입하여 부정행위를 하는 짓. 다섯째, 혁제공행赫蹄公行. 시험문제 사전 유출. 여섯째, 환면출입換面出入. 수험자 대리시험. 일곱째, 외장서입外場書入. 시험 종료 후 밖에서 시험지 바꿔치기. 여덟째, 자의환농慈意幻弄. 시험관을 속이는 일."

"전에도 얘기했지만 그걸 날더러 믿으란 말이오?"

"자네나 나나 재수再修해서도 떨어졌지. 다 이유가 있었던 거야. 세상이 얼마나 부패해 있나? 올해 들어 시국이 요동칠 조짐이 더 커졌어. 전라도 고부민란古阜民亂이 저렇게 커질지 몰랐네. 이미 민란 수준을 넘어섰어. 내가 지금 이조吏曹에서 나온 관보官報를 보고 왔는데 동학도 만여 명이 전라도의 심장인 전주성을 함락시켰다네. 그들은 이제 공주성 진군을 공언하고 백성의 환호 아래 한양까지 진격하겠다고 호언하고 있다는 거야."

"아니 어쩌다 그렇게 됐지? 민초들은 변변한 무기도 없었을 텐데 관병은 뭐한 거야?"

"관병인들 제대로 된 군대인가?"

"큰일이군요. 저리되면 청淸·일日·러 등 호시탐탐하고 있는 외세가 가만있지 않을 것 같은데요? 동학군을 관군이 제압하지 못하면 틀림없이 조정 내에서는 청국에 병력 지원을 요청할 테고 그리되면 일본이 가만있지 않을 테지요. 수호조약을 지켜라. 거주 자국민을 보호하기 위해 군대를 파견할 것이다. 그러면서 군대를 파견하면? 청일 양국은? 부딪치겠는데요?"

"이 땅에서 전쟁을 벌일 게 분명하네."

"고래싸움에 새우 등 터지게 됐군요?"

"그 마당에 과거시험이 치러지겠나? 우리 젊은이들은 벼슬보다 나라 걱정부터 해야 한다고 보네. 30년 전 일본도 작금의 우리나라와 오십보백보였네. 백성은 도탄에 빠지고 조정은 부패했지. 여기에 서양 세력이 침략하여 반식민지가 되었지. 이래선 안 되겠다 하여 지식인들은 왕정복고를 선언하고 명치유신明治維新을 단행하고 신문물을 받아들여 부국강병국富國强兵國이 되자 했지. 우리라고 못할 리가 없지. 그러자면 신학문을 해야 하네. 그래서 난 배재학당培材學堂에 들어간 걸세."

배재학당이 문을 연 것은 작년(1894) 9월이었다. 조선조 말 기독교 쪽에서 우리나라에 최초로 파송되어 온 선교사는 두 사람이었다. 미국 감리교 선교부에서 온 아펜젤러Henry G. Appenzeller와 북장로교 선교부에서 온 언더우드Horace G. Under-wood였다. 그들이 입국한 해는 1885년이었고 당시 아펜젤러는 27세, 언더우드는 28세의 젊은이였다. 이들은 명문 대학을 나온 인텔리였고 누구보다 신앙에 대한 소명의식이 강한 사람들이었다. 그중에서 신학문 교육기관인 배재학당을 연 사람은 아펜젤러였다. 신긍우는 두 달 전 그 학당에 입학하고 서당 동문이었던 이승만에게 입학을 권유하려고 찾아왔던 것이다.

"나라의 운명이 풍전등화인데 과장이 어떻게 열리겠나? 자네도 포기하고 나와 함께 배재학당에 다니며 신학문을 공부하세."

"난 싫습니다. 종교는 아편과 같다는 말이 있지요. 서구 열강 중에서 그래도 식민지 쟁탈을 위해 물불을 가리지 않는 나라는 미국이라고들 말하지만 따지고 보면 불란서나 서반아나 영국이나 독일이나 러시아나 똑같습니다. 그들은 먼저 무력시위를 하여 무관세 개항을 요구합니다. 그런 뒤에는 상품을 쏟아 넣고 경제 착취를 시작합니다. 그런 다음에는 선교사를 보내어 기독교로 백성의 정신靈을 마비시켜 놓습니다. 자국의 영향하에 끌어들이고 결국에는 나라 자체를 병탄하고 식민지를 만들어버리는 것입니다. 우리가 그걸 알면서도 그 밑에 들어가 교육을 받는다는 것은 매국賣國 행위가 아닐 수 없습니다."

"난 자네가 고집불통이라는 건 잘 아네만 그렇게 꽉 막힌 줄은 몰랐네. 구더기 무서워 장 못 담그나? 왜 이용당한다는 생각만 하지? 우리가 그 힘을 이용하면 되는걸? 잘 생각해서 결정하게. 학당행이 가장 현명한 판단일 거야."

신긍우는 더 권유하지 않고 돌아갔다. 이승만의 고집을 잘 알고 있었기 때문이다. 자기가 설득당하지 않으면 승복하지 않는 성격이었다. 승만은 고민하기 시작했다. 그의 말대로 그렇게 되면 과거제도 자체가 없어질 공산이 크다.

그런데 문제는 아버지와 어머니였다. 특히 아버지는 승만의 과거급제와 입신양명立身揚名만을 위해 살고 있다 해도 과언이 아니었다. 그런 부모를 설득하여 신학문을 공부하기 위해 학당에 입학한다는 것은 난지난사難之難事였다. 말도 꺼내지 못하게 할 것이 뻔해 보였다. 장가까지 들어서 아내도 있는데 집안은 어머니 삯바느질로 연명하고 있는 형편이었다. 아버지는 원래부터 실직자이고 승만 또한 공부만 하고 있으니 한 푼 벌이도 못하고 있었던 것이다. 학당을 다니는 것보다는 일자리를 구하여 취직하는 게 급선무였다.

그렇다고 학문 연마에 대한 소망을 버릴 수는 없었다. 그렇다면 신긍우의 권유대로 배재학당에 가는 게 좋긴 했지만, 서양 사람들에게서 신학문을 배운다는 것이 자존심에 걸렸다. 밤새도록 잠을 이루지 못하고 장래 문제를 생각하고 있는데 여섯 살 때의 일이 떠올랐다.

마침 마마天然痘가 유행하여 승만이도 마마를 앓고 났다. 죽지 않은 건 다행이었지만 두 눈이 보이지 않게 되어 장님이 되었던 것이다. 외아들이 장님이 되자 아버지 경선공은 백방으로 뛰어다니며 아들의 눈을 고치려 했지만 허사였다. 한방韓方에서는 고칠 수 없다는 것이었다.

마침 훈련원 뒤에 살던 종친 혜랑 이호선의 집에 가서 땅이 꺼지게 한숨을 쉬며 걱정을 하자 호선은 자기가 아는 양의사를 찾아가 보라 했다. 그 양의사 알렌Horace Allen은 서양식 병원을 하고 있었다. 코쟁이 양의사라니 그게 꺼림칙했지만 다급한 처지여서 아들을 데리고 당장 찾아갔다. 아버지의 등에 업혀 병원에 들어선 어린 승만은 소독약 냄새를 맡기 싫다며 집에 가자고 보챘다. 그건 어린 승만이 최초로 맡아본 서양의 신문명 냄새였다.

"눈을 볼 수 있을까요? 제발 고쳐주십시오."

아버지가 안타깝게 매달리자 알렌 의사는 안약을 주며 지금 눈에 넣고 집에 가서 3일만 넣어 치료하면 나을 것이라 했다. 의사가 시키는 대로 물약을 눈에 넣은 지 나흘째 되던 날. 그날은 승만의 일곱 살이 되는 생일 아침이었다. 승만은 안방에 앉아서 독서를 하고 있던 아버지 곁에서 눈이 보인다고 말했다.

"뭐라고? 보여? 이, 이게 무엇이냐?"

책상 위에 있던 연적硯滴을 들어 보였다. 연적이라고 말하자 아버지는 기뻐 어쩔 줄 모르며 부엌에서 생일상 준비를 하고 있던 어머니에게 눈이 보인다고 한다며 소리쳤다. 그러자 어머니는 얼결에 신고 있던 신발 한 짝을 벗어 보이며 이게 뭐냐고 물었다.

"신발이요."

그 말에 어머니는 눈물을 쏟으며 좋아했다. 어머니는 감사의 뜻으로 달걀 두 꾸러미를 꾸려 아버지 편에 아들을 고쳐준 서양 의사에게 전하라 했다. 아버지는 승만을 데리고 달걀 꾸러미를 들고 그 서양 의사를 찾아갔다.

"고맙습니다, 하고 네가 드려야지?"

아버지가 승만에게 시켰다. 승만이 달걀 꾸러미를 알렌 의사에게 주며 절을 했다. 파란 눈의 그 서양 의사는 승만의 머리를 쓰다듬으며 고맙다 하고 다시 돌려주었다. 자기보다는 어린 도련님이 드시는 게 좋을 것 같다는 게 이유였다. 그 양의사 알렌은 나중에 미국 공사가 된 사람이었다.

달걀을 돌려받은 어머니는 그 달걀로 푸짐한 생일 음식을 하여 동네 사람을 부르고 잔치를 했다. 그러면서 만나는 사람마다 어머니는 그 벽안의 서양 의사에 대한 감사의 말을 잊지 않았다. 지금 생각해도 고마운 의사였다. 그 의사를 만나지 않았으면 영원히 장님이 되었을지도 모른다고 어머니는 종종 말씀했다. 서양인, 서양 문물에 대한 편견을 접고 이승만이 신긍우를 찾아 배재학당에 들어가겠다고 결심한 바를 밝힌 것은 그로부터 며칠 후였다. 1895년 4월이었다. 승만은 영어과를 지망했다. 나중 본인이 밝힌 대로 영어 한 가지만이라도 제대로 배워보자는 생각 때문이었다.

학당에 들어가느냐 마느냐의 결심은 본인이 해야 하지만 부모님의 승낙이 있어야 하는 일이었다. 아버지는 완고한 유학자인데다가 오직 과거급제만 바라고 있는 분이니 그걸 설득한다는 게 불가능해 보였던 것이다. 그러나 승만은 마침내 어머니 승낙을 받아내고 어머니와 함께 아버지를 설득하여 반승낙을 받아냈다.

"어차피 나라는 쇄국鎖國의 빗장을 열고 외국 문물을 받아들여 개화의 길로 나가게 되어 있습니다. 그것이 대세입니다. 대세가 필요로 하는 학문을 하고 싶습니다."

이승만은 마침내 배재학당 영어과에 입학하여 공부를 하게 되었다. 그는 영어 공부뿐만 아니라 역사, 지리, 수학, 성경 등 교양과목을 이수해야 했고 매일 아침에 있는 채플예배 시간에도 참석해야 했다. 6개월 만에 기말시험을 봤을 때 그는 학급에서 수석을 차지했고 그중 영어 실력이 출중하여 교사들을 놀라게 했다.

이승만은 학비를 벌 수 있는 특전을 얻게 되었다. 두 사람의 서양 여의사에게 한국어를 가르칠 수 있게 된 것이었다. 한 사람은 서양병원 제중원濟衆院에 근무하던 화이팅Georgina E. Whiting 양과 또 한 사람은 제이콥슨Anna. P. Jacobson 양이었다.

이승만은 그 두 사람에게 한국어를 가르치고 매월 20달러를 받게 되었다. 행운이었다. 학비를 충당할 수 있을 뿐만 아니라 자신은 우리말을 가르치고 영어를 배울 수 있는 일석이조의 기회를 잡았던 것이다. 이승만이 배재학당에서 얻은 것은 영어뿐이 아니었다. 지금까지 전혀 모르고 살았던 획기적인 혁명적 사상에 눈을 뜨게 되었던 것이다.

그는 미국의 건국사, 독립전쟁사, 남북전쟁사 내지는 법치주의와 국민에게 국가의 주권이 있다는 민주주의 사상을 배우게 되었던 것이다. 특히 갑신정변 후 미국으로 망명했다가 미국시민권자로 의사가 되어 1895년에 귀국한 서재필徐載弼, 1863–1951 박사의 배재학당 출강은 이승만에게 있어 커다란 영향을 미쳤다.

그는 서재필에게서 매주 목요일에 실시한 특강 '세계지리', '세계역사', '정치학', '의사진행법議事進行法' 등을 배우며 신학문, 신사상에 경도되어 갔다. 그러던 어느 날 반 친구인 이충구가 이승만에게 넌지시 권했다.

"오늘 내 친구 생일인데 나와 함께 가지 않겠나? 유영석이라고 하는 친구인데 가회방에 살고 있네."

"알지도 못하는 친구 생일에 왜 가나?"

"자네를 보고 싶어 하는 친구들이 여럿 있네. 인사도 나누고 그랬으면 좋겠어. 그 자리에는 미국 유학에서 돌아온 전 군부대신 아들 윤치호尹致昊. 1865-1945 선생도 참석할 예정이라네."

"윤치호?"

"놀랄 건 없고 윤 선생은 입헌정치 수립과 정부의 개혁을 주장하며 정변을 일으켰던, 이른바 갑신정변에 연루되어 미국으로 도피성 유학을 갔다가 돌아온 청년 지도자일세. 새로운 이상과 학식을 겸비하여 그 댁 사랑에는 많은 젊은이들이 모여들고 있네. 그들과 교유하는 것도 괜찮지 않겠나?"

이승만이 개화주의자 윤치호를 처음 만난 것은 이충구의 친구인 유영석의 집에서였다. 이미 젊은이들 사이에 배재학당 이승만의 이름은 알려졌었던지 승만보다 열 살이 연상이었던 윤치호도 그의 손을 꽉 잡아주고 자주 만나자며 호감을 표시했다. 승만이 배재학당을 다니던 1895년에서 1897년은 외세의 간섭과 침략으로 나라가 예측할 수 없는 수렁으로 빠져들고 격랑이 휘몰아치던 시절이었다. 1894년에는 전라도 고부에서 일어난 전봉준의 동학란이 요원의 들불처럼 번지고 호남지방이 그들의 수중에 들어가자 허약한 조정은 청에 구원을 청하였다. 동학군을 진압한다는 명분 아래 청군이 아산만에 들어오자 일본은 자국의 거류민을 보호한다는 구실로 혼성여단을 인천에 상륙시켰다.

첨예하게 대립하던 청일 양국은 드디어 이 땅에서 전쟁을 벌였다. 일본이 승리하게 되자 친일 세가 득세하였고 일본은 조선을 병탄하려는 야욕을 숨기지 않았다. 그러나 반일反日을 표방하던, 당시 조선의 실세였던 황후 민비가 눈엣가시였다. 그들은 일본공사 미우라를 앞장세워 일본의 무사 낭인浪人들을 데리고 범궐犯闕하여 민비를 시해하고 대궐을 불바다로 만들었다. 국모시해國母弑害의 원수 갚음을 하고 일본의 야욕을 막으려면 김홍집의 친일내각을 타도하고 친일 세력을 몰아내어 독립된 국체國體를 유지해야 한다며 임최수林最洙, 이도철李道徹, 이충구李忠九 등의 모의가 이루어졌다. 국왕인 고종을 미국영사관으로 피신시키고 내각을 해산하여 새 정부를 세우자는 것이었다.

임최수는 러시아공사관으로 국왕을 피신시키자 했고 친미파인 이도철, 이충군는 미국공사관으로 거처를 옮기게 하자 했다. 그러나 이 거사의 기밀이 새어나가는 바람에 그들은 모두 일망타진되었다. 이것이 이른바 춘생문春生門 사건이었다. 문제는 주모자 중 하나인 이충구였다. 그는 배재학당 학생이었고 이승만과 가까운 학우였다.

그뿐만 아니라 이충구도 영어를 잘하여 이승만과 함께 선교사들의 한국어 교사를 하고 있어 더 친하게 지내는 친구였다. 이승만도 물론 그 모의 내용을 사전에 알고 있었다. 의분을 이기지 못하고 자기도 참여하겠다고 나섰으나 이충구가 만류하는 바람에 그만두었다.

"성공과 실패는 반반일세. 만약 실패하면 죽음이야. 우리 두 사람 다 죽으면 누가 장차 이 나라를 위해 일을 하나? 나 하나면 족해."

승만은 이충구가 검거되었다는 사실을 미처

모르고 서양식 병원이던 제중원에 있었다. 조선인 환자가 오면 통역을 해주어야 했고 서양 여의사에게 한국어를 가르치기 위해서였다. 여의사 화이팅과 개인 교습을 하고 있는데 간호사가 들어와 집에서 심부름꾼이 찾아왔다고 승만에게 알려주었다.

그를 찾아온 사람은 집에서 일 도와주고 있는 복녀라는 하녀였다. 집안 먼 친척이었는데 오갈 데가 없다 하여 데리고 있는 하녀였다.

"웬일이냐?"

그러자 복녀는 품속에서 쪽지 편지 하나를 꺼내어 내밀었다. 그 편지는 신흥우의 필적이었다.

음모가 발각되어 이충구 동지가 피체被逮 되었네. 자네도 지명수배자 명단에 올랐으니 급히 피신하고 추후를 관망하게. 우雨

배재 친구인 신흥우가 이승만의 집으로 찾아와 쪽지를 건네주었던 것이다. 승만은 복녀에게 먼저 돌아가라 했다.

"지금 바로 한양을 빠져나가 해주 누님 댁으로 피신할 터이니 넌 부모님께 염려하지 마시라고 전하고 안심시켜드려라. 잠잠해질 때까지 누님 집에 숨어 있는다고 말이야."

승만은 곧 환자로 변장하고 왕성을 빠져나가기로 했다.

"여기 있으면 잡으러 올지 모르겠어요. 우선 내 친구 지킵슨 부인 댁으로 피신하세요. 거기서 해주로 갈 방법을 찾으시면 되지 않겠어요?"

화이팅은 이승만을 환자복으로 갈아입히고 눈만 남기고 머리와 얼굴을 붕대로 칭칭 감았다. 그런 다음 두 사람이 탈 수 있는 인력거를 불러 옆에 환자를 앉히고 그녀가 보호 의사로 나서서 지킵슨 부인 댁이 있는 서대문 쪽으로 갔다. 이승만은 그 댁에서 이틀 동안 숨어 있다가 드디어 무사히 한양을 빠져나가 해주 평산에 살고 있던 누님 댁으로 가서 잠복했다. 이승만이 배재학당에 다시 돌아온 것은 그로부터 4개월 후였다. 복녀를 시켜 그 사건이 잠잠해지고 수배령이 풀렸으니 빨리 돌아오라고 여의사 화이팅이

전했던 것이다.

한양으로 돌아온 승만은 친구 이충구의 죽음에 충격을 받고 말을 잃은 정도였다. 이충구는 대역모의 자로 낙인 찍혀 교수형을 받아 젊은 인생을 마감했던 것이다. 개혁이란 시도 앞에는 언제나 죽음의 그림자도 함께 기다리고 있음을 깨달은 것이다. 죽음마저도 두려워하지 않는 용기가 필요했다.

3. 한국이 바라는
가장 유망한 청년 이승만

　이승만은 계몽 선도자로 대중 앞에 나서겠다는 결심을 하고 우선 단발을 하기로 했다. 상투를 자르기로 한 것이다. 그는 제중원으로 가서 원장인 애비슨 Oliver R. Avison을 만나 단발에 대해 상의했다. 그러나 애비슨은 잘 생각했다며 자기가 잘라주겠다고 나섰다.

　"한국 사람들은 몸에 난 털끝 하나도 부모가 물려준 것이니 身體髮膚受之父母 그걸 자르면 불효자라 하지만 우리 서양에서 머리를 자른다는 의미는 아주

다릅니다. 무슨 결심을 하고자 할 때 서양 사람들은 머리를 자르거나 스타일을 바꾸지요. 새롭게 달라지고 싶어질 때 하는 거지요."

애비슨의 말이었다. 상투를 자름으로써 이승만은 개화 신사가 되었다. 이승만에게 미국식 민주주의와 법치사상, 자유주의 등 새로운 신사상에 불을 붙여준 스승은 서재필이었다. 서재필은 왕조의 개혁과 개화 없이는 자강自彊의 독립국이 될 수 없고 외세의 속국이 될 수밖에 없으니 신학문에 눈뜬 젊은이들이 앞장서야 한다고 주창했다. 이승만은 당시의 상황을 그의 〈비망록〉에서 이렇게 기록하고 있다.

배재학당에서 나는 영어보다 더 중요한 것을 배웠는데 그것은 정치적 자유에 대한 사상이었다. 조선인들이 정치적으로 어떻게 억압받고 있는지 알게 되었고 서양의 기독교 국가 백성은 그들 통치자의 억압으로부터 법적으로 보호를 받고 있기 때문에 자유롭다는 사실을 처음 들었을 때 나의 가슴에 어떤 변화가 있었으며 얼마나 큰 충격으로 다가왔는지 상상할 수 있을 것이다. 혁명적 그 자체였다. 우리나라도 그 같은 정치제도를 따를 수만 있다면 얼마나 좋을까를 생각하게 되었다.

서재필은 그의 지도로 학생회인 '협성회'를 탄생시켰다. 협성회에서 학생들은 회의법과 토론법을 익혔다. 이승만은 협성회의 서기로 출발하여 나중에는 회장까지 지냈다. 이 협성회는 여러 면에서 이 나라 민주주의 출발에 든든한 초석이 되었다. 회의하는 방법과 진행법 그리고 의안을 놓고 토론하며 다수결 多數決 원칙에 따라서 결론을 이끌어내는 민주주의 훈련을 학생 시절부터 익히게 하여 '협성회'가 '독립협회'로 발전하게 하였던 것이다. 한편 이승만의 이름이 장안에 널리 알려지게 되고 유망한 청년으로 주목받게 된 것은 배재학당 졸업식에서 졸업생 대표자 연설을 하고 난 다음부터였다.

그가 배재학당을 졸업한 것은 1897년 7월 8일이었다. 입학한 지 만 2년 만이었고 그의 나이 스물세 살 때였다. 이승만은 제1회 졸업생 대표로 지명되어 대표자 연설을 하게 되었다. 졸업생 대표자 연설은 미국 대학에서 행하고 있던 미국식이었다. 그걸 본뜬 것이었다. 이승만은 감사를 표하고 연설문을 작성했다.

영어로 하는 연설이었다. 이윽고 졸업식 날이 되어 졸업식장인 정동교회 안팎에는 천여 명의 하객으로 가득 찼다. 배재학당 당장인 아펜젤러, 서재필 박사를 비롯하여 선교사며 교사인 벙커 Dalziel A. Bunker, 존스George H. Jones, 헐벗Homer B. Hulbert과 미국공사 알렌과 서기관, 영국총영사관, 조오단 등의 외국 귀빈들, 그리고 국내의 귀빈으로는 궁내부대신 이재순李載純, 내부대신 박정양朴定陽, 탁지부대신 심상훈沈相薰, 법부대신 한규설韓圭卨, 학부대신 민종묵閔種默, 농상공대신 이윤용李允用, 군부대신 안경수安駉壽, 학부협관 윤치호尹致昊, 한성부판윤 이채연李采淵, 전 일본공사 이하영李夏榮 등 조정의 내각이 모두 옮겨온 듯했고 유력 관료들이 다 참석하여 성황을 이루었다.

이승만의 영어 연설 제목은 '한국의 독립independence of Koea'이었다. 시의적절한 내용이었다. 승만은 은자隱者의 나라로 불린 고요한 아침의 나라 코리아는 수천 년 역사를 자랑하는 문화민족의 국가라는 사실을 상기시키고 그 오랜 역사 가운데 수백 차례 외침을 받았지만, 단일민족으로 독립국으로 당당히 자리매김해 왔으나 19세기에 이르러 국운이 쇠하여 호시탐탐 침탈을 노리는 청·일·러 등과 서구 열강의 각축 속에서 신음하고 있다는 것은 슬픈 일이다. 불리할수록 응집력을 통하여 강력한 힘을 드러내주는 것이 한국 민족이다. 그러면서 이승만은 열강의 각축 틈바구니에서 한국이 독립을 지켜나가려면 어떻게 해야 하는가 등을 명쾌하게 설파했다.

이승만은 당당하게 유창한 영어로, 보다 풍부한 어휘 구사와 표현으로 모든 청중을 사로잡아 만장의 박수갈채를 받았다. 배재학당 졸업식에서 행한 영어 연설로 이승만의 성가는 한순간에 드높아지고 온 장안의 화제가 되어 장차 주목해야 할 한국의 "유망한embryonic 청년"으로 떠오르는 계기가 되었다.

그 연설에 대해 그의 스승이었던 서재필은 〈독립

신문〉 영문판에서 이렇게 찬사를 보냈다.

그는 한국과 중국과의 과거 관계에 대해, 그리고 청일전쟁을 통하여 한국이 현재 직면하고 있는 어려움과 위태로운 사정에 대해 예리하게 파헤쳐나갔다. 그의 거침없는 연설은 모든 관객의 열렬한 박수를 받고도 남았다.

배재학당을 졸업한 이승만은 언론인으로의 사회 첫발을 내딛게 되었다. 학당 조교였던 양홍묵과 함께 학생회 신문이었던 〈협성회보〉를 창간하여 주필로 활동하게 되었다. 이승만은 그 신문을 통하여 급진적인 정치개혁 논설을 게재하여 배재학당 당장인 아펜젤러의 주의를 받았으나 고쳐지지 않자 모든 기사는 자기의 사전 검열을 받아야 한다고 나섰다.

검열은 받을 수 없다며 이승만은 주필 자리를 내놓고 유영석柳永錫, 최정식崔廷植 등의 동지들과 함께 우리나라 최초의 일간신문인 〈매일신문每日新聞〉을 창간하고 주필 겸 사장직을 맡았다. 그러나 협성회 내부에서 직제 개편을 놓고 내분이 일어나 강경파였던 이승만이 제명을 당하게 되었다. 그러자 협성회와 관계를 맺고 있던 〈매일신문〉을 더는 끌고 갈 필요가 없음을 느끼고 거기서 손을 떼고 이종일李鍾一 등과 함께 역시 우리나라 최초의 한글 신문인 〈제국신문帝國新聞〉을 창간하여 주필 겸 논설위원으로 활동하게 되었다.

〈제국신문〉은 규방의 부녀자들과 하층민 등을 상대로 한 신문으로서 이승만은 한성감옥에 투옥되기까지 1년 2개월간 논설을 써서 실었으며 투옥된 옥 안에서도 2년 2개월간 논설을 썼다. 그의 논설은 인기가 있어 위로는 왕비였던 엄비嚴妃가 애독자였고 밑으로는 규방의 부녀자, 상인들이 애독자였다.

특히 엄비는 훗날 청년 이승만을 뒤에서 음양으로 도와준 은혜를 베풀었는데 바로 논설 애독자가 된 것이 그 계기가 되었던 것이다. 〈제국신문〉은 당시 국한문 혼용 일간지였던 〈황국신문〉과 쌍벽을 이루며 민족계몽운동을 선도했다.

이승만은 언론인으로서만 만족하지 않고 활동

범위를 대중정치 운동으로 넓혀나갔다. 서재필이 창립했던 '독립협회'에 가입하고 협회 계몽운동에 앞장섰다. 조정에는 친러파親露派 정권이 들어서서 아관파천俄館播遷을 주동하여 러시아의 세력이 절대적으로 영향력을 행사하고 있었다. 각종 이권을 얻은 러시아는 한발 더 나아가 부산 절영도絕影島를 조차租借할 수 있도록 요구하고 나섰다. 독립협회는 대중 집회를 통하여 러시아의 야욕을 분쇄해야 한다는 결론을 내렸다. 여기에서 이승만은 서재필의 추천으로 이 집회의 가두 연설자로 나서게 되었다.

드디어 1898년 3월 10일. 독립협회가 주최한 '만민공동회萬民共同會'가 종로 네거리에서 열리게 되었다. 여러 명의 연사가 등단하여 러시아의 야욕을 막아야 한다며 열변을 토했지만 단연 인기 있는 웅변가로 떠오르는 사람은 이승만이었다. 그는 러시아가 조선 정부에 군사, 재정 등을 지원하며 생색을 내는 이유는 바로 자국 이권 책동의 음모라고 성토하며 혹한과 싸우는 러시아로서는 얼지 않는 부동항不凍港 확보가 생존에 직결되므로 부산 절영도를 탐내고 있으니 관민이 단결하고 민초들의 힘으로 러시아 세력을 몰아내고자 호소하여 박수갈채를 받았다.

만민공동회의 대대적인 가두집회는 역사상 처음 있는 일이었고 그 효과는 당장 드러났다. 집회 1주일 후인 3월 17일, 러시아 공사 스페이어A. Speyer는 대한제국 정부에 파견되었던 러시아의 군사 교관과 재정고문 등을 철수시키겠다 통보하고 한국에서의 각종 이권 획득 책략과 절영도 조차권 요구를 폐기했다.

만민공동회의 승리였다. 그 승리 속에는 이승만의 역할이 지대했다는 게 중론이었다. 나중 이승만은 그의 저서 〈독립정신〉에서 이때 이룬 승리를 다음과 같이 표현했다.

우리 백성이 정부를 도와 관민이 일심으로 단결하여 국권을 보호한 처음 일이었다.

승리를 얻게 되자 독립협회는 더욱 힘을 얻게 되었다. 그해 8월. 협회는 임원 개선을 통하여 회장에 윤치호, 부회장에 이상재李商在가 취임했다. 조정의 내각도 개화 개혁파인 박정양과 민영환閔泳煥 등으로 바뀌었다. 이승만은 회장 윤치호의 기대와 신임을 얻고 본격적인 대중 정치로 나서게 되었다.

독립협회에서는 고종에게 개혁에 걸림돌이 되어온 수구파守舊派 7대신을 축출해줄 것과 협회에서 품의한 정치 개혁 건의안인 '헌의육조獻議六條'를 속히 실천하겠다는 약조를 받아내야 한다고 의결했다. 그러기 위해서는 제2차 관민官民공동회를 열자 했다. 마침 박정양 내각이 협조를 승낙했다. 드디어 10월 29일, 이번에는 만민이 아니라 관민이 하나 되어 공동회를 열게 되었다. 물론 이승만도 연설자로 등단하여 열렬한 박수를 받았다.

공동회가 성황리에 끝나고 나서 5일째 되던 11월 4일이 되자 정부는 갑자기 독립협회의 간부 17명에 대해 전격적으로 체포령을 내리고 잡아들였다. 그러면서 독립협회를 강제 해산시켜버렸다. 이유는 독립협회가 정변을 일으켜 공화정共和政을 수립하려 획책했다는 것이었다. 이는 벼랑 끝에 몰린 수구파 대신들이 꾸며낸 모함이었다. 그러나 고종은 그들의 말을 곧이들었던 것이다. 사태가 그쯤 되자 이승만은 배재학당으로 몸을 피하고 아펜젤러의 관사로 갔다. 그곳에는 이미 독립협회 회장인 윤치호와 몇몇 간부들이 숨어 있었다. 아펜젤러의 집은 치외법권 지역이어서 안전했던 것이다.

"우리 협회가 왕조를 유혈정변으로 뒤엎고 공화정을 실시하려 한다고 뒤집어씌워 역적으로 만든 자들은 우리 때문에 위기에 몰린 수구파 대신들 쪽이었소."

윤치호가 급변한 사태의 이유를 설명하자 이상재가 한마디 했다.

"그러니 이제 우린 어찌해야지요? 빨리 대책을 세웁시다. 협회는 강제 해산되었고 동지들은 지금도 붙잡혀 가고 있소이다."

"방법은 한 가지뿐입니다."

잠자코 있던 이승만이 나섰다.

"뭐 좋은 대책이 있소?"

"가두시위를 하는 겁니다."

"길거리로 나가서 시위를 하자?"

"그렇습니다."

"위험한 방법이오. 다 나서서 가두에 나가면 일망타진될 터인데 누가 남아 협회를 재건하고 우리의 결백을 주상께 알리지요?"

"간부 여러분은 여기 남아 계십시오. 저만 나서겠습니다."

"무모하지 않을까? 아무도 뒤따르지 않으면?"

"백성은 우리 편입니다. 염려 마십시오. 자, 그럼 가보겠습니다."

이승만은 비장하게 인사를 남기고 관사 밖으로 나왔다. 그런 다음 배재학당 후배들을 불러 모아놓고 수구파의 모함으로 독립협회가 해산당하고 간부들이 피체되었으니 이제 싹이 돋은 이 나라 민주주의가 짓밟혀버렸다, 어찌 가만있을 수 있는가, 날 따라 항의하러 나가자, 그렇게 일장 연설을 했다.

그러자 후배들은 모두 당장 동조하여 이승만의 뒤를 따라나섰다. 경무청 앞으로 나아가 시위를 벌이자 주변에는 당장 천여 명의 군중이 모여들어 시위에

합세했다.

"독립협회를 살려내라!"

"17인 간부를 석방하라!"

"헌의육조를 실천하라!"

소리쳐 외치며 밤이 되어도 해산하지 않았다. 그렇게 되자 주변의 상인들이 물이며 주먹밥까지 내다가 농성자들을 응원하고 격려했다. 시위는 날마다 철야 농성으로 이어졌다. 4일째 되던 날 경무청장은 대표자 면담을 요구했다. 이승만이 만났다.

"철야농성은 풀고 이제 해산하시오."

"우리 요구 조건이 관철되지 않는 한 물러나지 않을 것이오."

"황제 폐하의 재가가 떨어졌습니다. 17명 구속 인사는 당장 풀어주라고 말이오."

"정말입니까? 그뿐인가요? 독립협회 해산을 철회하겠다는 약조는 없었소?"

"나는 구속자 석방에 대한 지시만 받았을 뿐이오."

"그렇다면 물러날 수 없습니다. 협회 복원을 약속하지 않는 한 말입니다."

"일단 어명은 받으시오. 협회 문제는 나중에 다시 협의해도 늦지 않지 않소?"

"알겠습니다."

이승만은 일단 시위를 중단하기로 했다. 청장의 말도 일리가 있었던 것이다. 어쨌든 17인 석방은 놀랄 만한 일이었다. 농성 시위의 위력을 처음으로 실감하는 순간이었던 것이다. 현대적인 시위 수단으로 집단 가두시위와 농성 데모를 최초로 벌여 성공한 사례는 그 데모가 처음이었다.

아무튼, 구속되있던 독립협회 간부 17인은 당일로 석방되었다. 나중 이승만은 자신이 쓴 〈자서전 개요〉에서 이렇게 평하고 있다.

17명이 드디어 석방되었는데 그날 밤이야말로 나는 참으로 모든 것을 다 가진 듯 득의만면했다. 민주주의를 위해 위대한 승리를 달성했던 것이다.

4. 원초原初 국회國會 중추원中樞院

이승만은 그것으로 끝내지 않았다. 11월 20일. 쇠뿔은 단김에 뽑아야 한다며 내쳐 '헌의육조'를 약속대로 실천하고 독립협회 해산령을 철회하라고 고종에게 요구하면서 인화문仁化門 앞에 나아가 계속 농성을 벌였다.

농성을 시작한 지 하루가 지났다. 밤을 새우고 21일 아침이 되자 배재학당의 동창이며 친한 친구였던 윤창렬尹昌烈이 농성장으로 찾아왔다. 그는 이승만을 따로 불러내어 만나자 했다.

"고생 많네. 함께 뜻을 같이하지 못해 미안하이."

"무슨 말이야."

"급히 알려줄 말이 있어 찾아왔네. 수구파 대신들 쪽에서 흉계를 꾸미고 있다는 소식일세."

"흉계라니?"

"수구파에서 조직한 황국협회에서 전국의 보부상 패 2천여 명을 한양에 불러 모아 폭력으로 관민공동회의 농성을 박살 내고 쫓아내겠다는 걸세."

"나도 그 정보는 들었네만 그리 쉽게 동원이 될 수 있을까?"

"무슨 소리야? 이미 후하게 품삯을 받은 보부상 패들이 어제 저녁부터 다 모여들고 있다던데? 표적은 자네의 농성대야. 유혈충돌이 벌어질 거라고. 시급히 대책을 마련하게."

독립협회와 맞서기 위해 만든 수구파의 단체가 황국협회였다. 드디어 그들은 물리적인 폭력으로 농성대를 해산시키기 위해 전국의 장돌뱅이 보부상 건달들을 사서 덮치려 한다는 것이었다. 이승만은 급히 학생대표들과 일반인 대표들을 불러 그 사실을 말해주고 임전무퇴를 당부했다.

"아니 보부상들과 맞서겠다는 건가?"

긴장한 윤창렬이 물었다.

"싸우는 데까진 싸워야지? 여기서 밀리면 장차 우린 가두시위나 농성하기가 힘들어지네. 저들은 그때마다 전가의 보도처럼 폭력배를 동원, 강제 해산시키려 들 테니까."

"계란으로 바위 치기일 텐데?"

"그래도 싸워야 해!"

이승만은 전의를 새롭게 했다. 오후가 되자 핫바지 저고리에 무릎 밑까지 행전을 야무지게 묶고 머리에 패랭이 갓을 얹은 건장한 사내들이 긴 몽둥이를 끌면서 인화문 앞으로 삼삼오오 모여들었다. 순식간에 그들은 농성장 건너편에 들어섰다. 얼핏 보아도 2천여 명이 넘어 보이는 보부상 패들이었다.

"선배님, 안 되겠습니다. 저놈들은 우리보다 머릿수가 배 이상입니다. 게다가 모두 참나무 몽둥이를 들고 있습니다. 붙으면 당할 것 같은데 피해를 보지 말고 일단 해산토록 하시지요? 모두 두려워 떨고 있습니다."

농성하고 있던 배재학당 후배 중 하나가 급히 쫓아와 사정했다.

"……."

이승만은 아무런 대답 없이 살기등등하게 웅성거리고 있는 보부상 패들을 노려보고 있었다.

"선배님!"

"두려워하지 말게. 여론은 우리 편이니까. 물러나면 안 돼."

그러자 보부상 패들은 타원형으로 대형을 벌이고 농성대 앞으로 나가 열 발자국 전쯤에 멈춰 섰다. 그중에 대장인 듯한 사내가 앞으로 나섰다. 길영수 吉永壽였다. 그자가 소리쳤다.

"너희는 위법을 저지르고 있다. 우리는 황제 폐하의 특명을 받아 너희를 해산시키러 왔다. 자, 자리를 털고 일어나 모두 해산한다! 그에 불응하는 자는 가차 없이 몽둥이찜질을 하겠다. 열을 세겠다. 열 셀 동안 해산한다!"

그때는 이미 농성대 전원도 모두 일어서서 그들과 대치하고 있을 때였다. 이승만이 외쳤다.

"여러분! 돈 받고 동원된 저 무뢰배들에 굴복하면 안 됩니다. 마지막 한 사람까지 싸워서 이 자리를 지켜야 합니다. 싸웁시다!"

"옳소! 옳소!"

농성대들이 발을 구르며 옳소를 연발하고 결의를 다졌다.

"자, 열을 세겠다. 하나! 둘!"

길영수가 선창하자 보부상 패들은 일제히 합창하듯 숫자를 세어나갔다.

"아홉, 열!"

그래도 농성대가 움직이지 않자 길영수가 몽둥이를 쳐들며 선동했다.

"돌격! 모두 병신을 만들어도 좋다!"

함성과 함께 보부상 패들이 몽둥이를 휘두르며 덮쳐들었다. 농성대도 그들의 공격에 맞섰다. 하지만 상대가 되지 못했다. 그들과는 우선 힘으로 맞설 수가 없었다. 장돌뱅이로 단련된 자들이니 모두 힘이 장사였다. 그리고 농성대는 아무런 무기도 갖지 않고 있어 거의 무방비 상태에서 복날 사정없이 두들겨 맞는 개처럼 구타를 당하고 나뒹굴었다. 게다가 수적으로도 천 명 대 이천 명이었으니 그 역시 당해낼 수가 없었다. 머리통이 깨지고 갈빗대가 부러지고 피를 흘리는 쪽은 농성대 쪽이었다. 더는 맞서지 못하고 농성대가 장마철에 거미 흩어지듯 도망치기 시작했다.

"도망치지 마시오! 끝까지 맞서 싸워야 합니다."

이승만도 맞으면서 목이 쉬도록 외쳤지만 불가항력이었다. 그때 바로 앞에 보부상 패를 이끌고 온 황국협회의 행동대장 길영수가 몽둥이를 쳐들고 이승만을 노려보고 있음을 보았다.

"오냐! 이 민족반역자 길영수! 너 잘 만났다! 야잇!"

이승만도 남산자락에서 태어난 야생마였다. 어려서부터 그는 공부도 잘했지만 노는 것도 한번 나가면 해가 져도 집에 돌아오지 않아 부모의 애를 타게 했다. 그는 씨름, 팔매질, 자치기 등 못하는 놀이가 없었고 그래선지 강인한 팔다리를 가지고 있었다.

"이승만! 네놈이로구나. 각오해라!"

길영수가 긴 몽둥이를 휘두르며 정수리를 향해 내리쳤다. 승만은 날렵하게 몸을 피하며 길영수의 얼굴을 발로 걷어찼다. 짧은 신음을 삼킨 그는 화가 치솟아 되는 대로 후려쳤다.

"윽!"

승만은 머리를 싸쥐었다. 정통으로 맞지 않고 비껴 맞아 다행이었지만 당장 피가 터졌다. 길영수는 사정없이 어깻죽지며 허리를 갈겼다.

"이자를 잡아 묶어 압송하라!"

부하들에게 명했다. 대답하며 십여 명이 둘러쌌다. 혼란이 계속되는 바람에 포승을 지르지 못하고 이승만을 에워싼 채 경무청으로 가고 있었다. 그때 누군가 소곤거렸다.

"승만 씨, 몸을 숙이고 왼쪽으로 빠져나가 도망치시오."

삼십여 세 나 보이는 보부상 패였다. 승만은 순간 몸을 납작 숙이고 허술해 보이는 왼쪽 포위망을 뚫고 머리를 싸쥔 채 배재학당 쪽으로 뛰었다. 그 시각 학당 운동장에는 쫓겨온 학생들이 모여들고 있었는데 누군가 울부짖고 있었다.

"길영수의 몽둥이에 맞아 이승만이 처참하게 맞아 죽었다 하오! 미친개한테 당한 거요."

그는 이승만과 배재 동기이며 가장 친한 친구 중 한 명이었던 기원근이었다. 모두가 믿기지 않는 듯 멍해 있다가 하나같이 눈물이 고였다.

"이승만이 죽었다!"

슬픈 신음 같은 말들이 물결처럼 번져나갔다. 그때였다. 누군가 외쳤다.

"이승만 선배다. 이승만 선배가 살아서 왔다!"

후문 쪽을 일제히 바라본 학생들이 순간 기쁨의 환성을 터뜨렸다. 죽었다던 이승만이 피 흐르는 머리를 싸쥐고 들어서고 있었던 것이다. 이승만은 터진 머리를 붕대로 동여매고 후배들과 일반 군중에게 다시 나서자고 연설했다. 이번에는 인화문이 아니고 독립협회가 최초로 만민공동회를 열었던 종로 네거리로 가기로 했다.

그날 밤 뜻밖의 비보가 전해졌다. 인화문 농성 시위에서 이승만과 함께 활약했던 독립협회의 유망한 연사 중 하나였던 김덕구가 귀가 도중에 피살당했던 것이다. 일단 시위는 중단하기로 했다. 장례식을 치러야 했기 때문이었다. 김덕구의 장례식은 용산 자택에서 치러졌고 장지로 가기 위해 큰길로 나오자 수천 명의 군중이 애도하며 그 뒤를 따랐다. 독립협회 간부 김덕구의 죽음은 엄청난 위력을 숨긴 폭발물과 같았다. 조정에서도 언제 터질지 알 수 없어 전전긍긍했다.

이승만은 장례식을 마친 뒤 다시 종로 네거리에서 군중집회를 열었다. 시위를 계속하기 위해서였다. 그날 오후가 되자 독립협회 회장인 윤치호가 지도부를 이끌고 농성장에 나타났다.

"여러분! 독립협회 회장 윤치호올시다."

"와아!"

환호 소리가 일어났다.

"우리는 승리했습니다. 여러분이 흘린 고귀한 피는 헛되지 않았습니다. 여러분의 요구 조건이 모두 받아들여졌습니다. 우리가 건 네 가지 요구조건이 성취된 것입니다. 첫째, 강제 해채시킨 독립협회는 다시 복설한다. 둘째, 헌의육조의 실행에 힘을 쓰겠다. 셋째, 우리가 요구한 수구파 대신들의 처단 문제입니다. 수구파 대신 중 이른바 오 흉五凶이라 불린 조병식趙秉式, 유기환兪箕煥. 이기동李基東, 민종묵閔鍾黙, 김정근金禎根을 삭탈관직을 시키고 모두 유배형流配形에 처했습니다. 그리고 마지막으로 폭력을 행사한 보부상 패들은 두 번 다시 집단행동을 하지 못하도록, 또 그들을 이용하지 못하도록 조처했소이다.”

“만세! 독립협회 만만세!”

“이승만 만세!”

종로 육조거리에는 만세 소리가 떠나가도록 울려 퍼졌다. 민의의 승리였던 것이다. 이 농성시위와 유혈 사태가 지나가자 조정 내외와 장안 곳곳에는 이승만이 화제의 대상이 되었고 몽둥이 폭력 앞에서도 굴하지 않은 “열혈 애국청년熱血愛國靑年 이승만” 으로 이름을 얻게 되었다.

그뿐만 아니라 이승만이 구한국에서 유일하게 처음이자 마지막 관직을 제수받게 되는 계기도 되었다. 언제 터질지 모르는 시한폭탄 같은 정국을 가라앉히기 위해서는 특단의 조치가 필요하다고 중도파 대신들이 황제에게 품의했던 것이다.

수구 세력과 개화 세력 양편에 각 동수의 의관議官을 주자는 것이었다. 중추원은 서양식 민의기관이며 입법기관인 국회의 원시적Embryo National Assembly 형태였다. 황제는 품의를 받아들여 조정의 개방적인 모습을 보이기로 했다. 돈화문敦化門 앞에 임시 어대御臺를 설치하고 그 앞 공터에 한쪽은 황국협회 간부들을 앉히고 다른 쪽에는 독립협회 간부들을 앉히고 전면에는 각국 외교사절들을 불러 앉히고 어대에 임어臨御한 황제가 회의를 주재했다.

각국 사절을 부른 것은 중추원을 만듦에 있어 증인이 되어 달라는 뜻이었다. 이건 수구, 개혁 양파들이 두말할 수 없게 만들기 위한 전시展示 행사였다. 이 자리에서 중추원 구성을 선언하고 양 파 각각 25명씩의 의관議官 의석을 주어 모두 50명이 임명되었고 윤치호가 중추원 대변인이 되었으며 당시 24세였던 이승만은 과거 급제자도 아니면서 의관從九品 관직을 받았던 것이다.

그러나 그 관직은 오래 갖지 못하게 되었다. 요동

치던 시국의 변화 때문이었다. 이승만은 개혁파의 선두에 서서 의욕적으로 활동하기 시작했던 것이다. 제1차 중추원 회의가 열리자 그는 축출된 수구파 대신들 대신 새롭게 들어가야 할 대신들의 명단을 천거하고 검증하는 이른바 11명 '재기가감자器可堪者 후보자 명단' 이름에 일본에 망명 중이던 철종哲宗의 사위인 박영효朴泳孝를 환국시켜 등용하자는 데 앞장섰다.

민씨 척족 세도를 몰아내고 개화정치를 이룩하자며 김옥균과 함께 갑신정변을 일으켰지만, 청군의 개입으로 삼일천하로 끝나고 주동자였던 박영효는 정변이 실패하자 일본으로 망명했다. 그러다 동학혁명이 일어나 청일전쟁이 나자 일본 정부의 주선으로 박영효는 귀국하게 되었으나 얼마 되지 않아 일본 세가 약화하자 1896년 7월, 고종과 민비를 축출하자는 불궤대역不軌大逆을 도모하여 다시 체포령이 내리자 일본으로 제2차 망명을 하여 지금에 이르고 있었다.

하지만 개화파에서는 그만한 인물이 없었다. 체제개혁을 위해 김옥균, 서광범, 서재필 등과 함께 개화당을 조직했고 수신사修信使로 세계 문물도 일찍이 경험한 지도자 중 하나였다. 이승만도 그래서 총리대신 후보자 명단에 박영효가 들어가야 한다고 적극 찬동했던 것이다. 이 사실은 곧 고종의 심기를 건드렸다. 평소에도 고종은 박영효를 미워하고 싫어했다. 게다가 두 번씩이나 반역을 꾀하고 일본으로 달아난 그를 용서할 수 없었다. 그런데 주위의 만류에도 이승만을 평가하여 그의 요구를 다 들어주었는데 다른 사람도 아닌 이승만이 박영효를 불러서 내각에 중용하자 하니 화가 더 났던 것이다.

고종은 1898년 12월 25일. 민회民會의 금압령 禁壓令을 내리고 만민공동회와 독립협회를 해체시키고 이듬해 1월 2일에는 이승만의 중추원 의관직을 박탈해버렸다. 임명된 지 1개월 4일 만이었다. 이승만은 독립협회가 이룩한 근대적 민권운동의 최대 공로자였지만 한편으로 독립협회의 명을 단축한 장본인이 된 셈이었다.

이승만의 정치운동은 그로써 위축이 될 법했는데도 그는 오히려 더욱 보폭을 넓히며 과감해졌다. 그해

10월, 박영효의 추종 세력인 이규완李圭完, 황철黃鐵, 강성형姜誠馨, 윤세용尹世鏞 등이 일본에서 밀입국하여 일본공사관의 자금을 받아 진고개에 잠복, 쿠데타를 획책하고 있었다.

고종을 폐위시키고 일본에 있던 의화군義和君 이강李堈을 끌어내어 신왕으로 옹립하고 박영효를 총리대신에 추대하여 혁신 내각을 구성, 수구세력을 일소하자는 음모였다. 그들은 벌써 친위대 소속 군인 150명과 자객 30명을 규합하여 비밀리에 거사 연습을 하고 있었다. 독립협회가 없어지자 동지들은 모두 뿔뿔이 흩어져버렸는데 이승만은 숭례문 동쪽에 있던 상동교회尚洞敎會를 자주 찾았다. 상동교회는 1889년 감리교 선교사이며 의사였던 스크랜턴William Scranton이 세운 교회로 개화파의 젊은이들이 많이 모이던 곳이었다.

그들 중 전덕기全德基는 천민 출신으로 스크랜턴 집에서 머슴살이 하다가 예수를 믿고 전도사가 되었으며 상동교회를 지켜나가는 기둥이 되었다. 이승만은 전덕기뿐 아니라 교회에 나오던 주상호周相鎬. 일명 周時經,

박용만朴容萬과 정순만鄭淳萬 등과도 친한 동지로 지내어 특히 그 세 사람은 3만으로 불리기도 했다.

이들이 만든 단체가 상동 청년회였다. 청년회에서는 자신들의 존재를 알리기 위해 이들은 격문檄文을 만들어 장안 곳곳에 뿌리기도 했었다. 격문은 "금상今上 고종은 춘추가 많으니 황태자에게 양위하고 물러나야만 나라를 일신하는 새로운 기풍과 힘을 얻어 나라를 근대화시킬 수 있다"는 내용이었다.

친일 쿠데타 세력인 진고개파에서는 자기들과 색깔이 같아 보이는 상동 청년회를 끌어들이려고 공을 들였다. 쿠데타 주동자 중 우두머리인 이규완은 매부인 강성형을 보내어 이승만을 만나 자기들 거사에 적극 가담해달라고 여러 번 청했다. 그러나 이승만은 무력 정변은 반대한다는 입장을 고수하고 관망하는 편을 택하였다. 그러나 그건 표면적인 이유에 불과했다. 친일 세력의 쿠데타 음모의 근본적인 저의에 대해서 다른 사람들은 간파하지 못하고 있었지만, 이승만은 알고 있었다.

"박영효를 일본에서 데려다 총리대신을 시켜야

한다고 누구보다 주장한 사람이 자네 아닌가? 그런데 왜 진고개파를 도와줄 수 없다고 선을 긋는 거지?"

이해할 수 없다는 듯 친구인 정순만이 물었다.

"그럴만한 중대한 이유가 있네. 박영효를 우리 조정이 데려오는 것과 일본 자금으로 쿠데타를 획책하고 있는 친일 주구走狗들이 데려오는 것과는 하늘과 땅 차이일세. 일본의 야망은 끝 가는 데 없네. 청일전쟁에서 이겼지. 러시아까지 깔보고 있네. 저들의 교만은 갈 데까지 가고 있지. 아시아 각국이 서구 열강의 식민지 쟁탈전에서 벗어나고 독립자강국이 되려면 일본을 주축으로 하는 연합세력기구를 만들어야 한다 하고 있네. 이것이 소위 '대동아합방大東亞合邦'이란 이론일세. 따라서 중국과 조선이 삼각이 되어야 하고 그러자면 조선엔 친일 괴뢰정부傀儡政府가 세워져야 한다. 지금 일본에서 밀입국한 진고개파들은 바로 그 계획을 실천하기 위해 내보낸 앞잡이들로 보면 되네."

"조선을 병탄併呑하여 일본의 식민지로 만들겠다?"

"그거야. 일본은 게다가 언젠가 강국이 되면 미국과도 전쟁을 불사하는 날이 올지도 모른다. 거기에 대비

해야 한다, 그런 연구도 하고 있을지 모르네."

"일본이 미국과도 전쟁을 벌일 거라고?"

"대동아합방이란 강력한 국제합방 세력이 생겨나면 아시아는 물론 태평양 연안에서 미국과 대립이 필연적으로 생기기 때문에 그리되면 전쟁도 일어날 수 있다고 보아야지."

일본이 미국과 태평양전쟁을 일으킨 것은 1941년이었다. 이승만이 40여 년 전인 1897년경에 미래를 내다보고 있다는 것은 상당히 놀라운 식견이고 예지력이 아닐 수 없다. 실제로 그는 태평양전쟁 발발 수개월 전에 간행한 영문 저서 〈일본의 실상Japan inside out〉에서 미일전쟁 발발을 예측하고 있음을 볼 수 있다.

5. 탈옥脫獄 권유

어찌 되었든 그 '무술년 정변戊戌年政變'으로 불린 친일 쿠데타 계획은 시행에 옮기기도 전에 탄로가 나서 일대 검거 선풍이 불었다. 그 사실을 이승만에게 전해준 사람은 박용만이었다.

"뭐라고? 어쩌다 탄로가 났지? 응?"

이승만이 놀라서 되묻자 박용만이 들은 바를 말해 주었다.

"친위대 소속 장병 중 150명을 포섭했는데 그 과정

에서 친위대 장교들이 알고 고변했다는 거야."

"무력을 사용한다는 말을 들었을 때 기밀이 샐 그런 위험은 감수해야 한다고 이규완에게 말한 적이 있네. 한두 명도 아니고 집단으로 포섭한다는 것이 위험하잖아?"

"어떡하지? 검거 바람이 세차게 불기 시작했는데? 우리도 피신해야 하는 거 아닐까?"

"겁내기는? 우리가 뭐 그들과 공모를 한 적도 없고 구체적으로 연관된 것도 없는데 우릴 왜 잡아들이겠나?"

"하지만 격문을 뿌렸잖아?"

"저들의 쿠데타 음모와 우리 상동 청년회와는 전혀 상관이 없잖은가? 격문 내용을 문제 삼는다면 당당하게 우리 입장을 밝히세. 하지만 이번 쿠데타 미수 사건과는 전혀 관련이 없으니 우릴 어쩌진 못할 거야."

"그러길 바라네."

정변 음모에 가담한 이른바 진고개파들은 모조리 체포되어 경무청에서 혹독한 고문을 받으며 심문을 당했다. 음모자 전원을 밝히기 위해 연루자와 포섭자의 입에서 이승만의 이름을 대라고 한 사람씩 고문을 하며 문초했다. 이때 엉뚱한 입에서 이승만의 이름이 나왔다. 종범從犯이라는 윤세용이었다. 그는 박영효의 추천으로 일본 유학을 하고 돌아온 젊은이였다. 물론 고문에 이기지 못하여 분 것이다. 윤세용이 이승만의 이름을 불게 된 연루 내용은 경무사警務使 이근용이 법부대신 이도재 앞으로 보낸 '공안供案 보고서'에 보면 잘 나타나 있다.

이승만은 이규완을 찾아가 이곳에 오래 머물 수 없는 처지이니 타국에 의탁하려면 어떤 방법이 있는가를 묻고 만일 좋은 방법이 있다면 도와달라 부탁했다 합니다. 이승만의 그 저의가 수상하여 종범 강성형과 대질하였으나 그런 사실 없다고 극구 부인하였습니다. 하필 거사를 앞에 두고 이승만이 역명逆名에 든 자를 찾아가 그런 부탁을 했다는 건 해괴하옵니다.

마치 거사가 실패하면 일본으로 망명했으면 싶은데 좋은 방도가 있으면 도와달라고 주범 이규완을 찾아가 부탁하는 것을 보았다는 것이었다. 이 때문에 이승만은 체포자 명단에 오르게 되었다. 그 정보를 입수하자 이승만은 상동에 있던 미국인 의료선교사 애비슨의 집을 찾아가 몸을 숨겼다.

애비슨은 이승만의 상투를 잘라준 서양 병원 제중원의 원장이었다. 그 집에 숨어 있던 어느 날이었다. 애비슨의 집 근처에는 역시 미국인 의료선교사였던 셔먼Harry C. Sherman이 살고 있었다. 셔먼은 낙동駱洞에 있던 서양 의료기관인 시병원施病院의 의사였다. 아침 출근길에 그는 애비슨의 집에 들렀다.

"닥터 셔먼! 웬일이시오?"

애비슨이 반갑게 맞았다.

"부탁을 좀 드릴까 해서 왔습니다."

"무슨 부탁을요?"

"댁에 미스터 리가 있다는 말씀 들었는데 지금 어디 있지요?"

"자기 방에 있을 겁니다."

"우리 병원 통역을 맡은 미스터 강이 급한 집안일로 대전에 내려갔는데 내일 오후나 되어야 올라온답니다."

"그래서 승만 씨를 찾아오셨군요?"

"예. 아시는 것처럼 통역이 없으면 제가 진료를 못 보잖습니까? 급해서 왔습니다만……."

"아시다시피 미스터 리는 지금 수배 중입니다. 그래서 우리 집에 숨어 있습니다. 아주 조심하지 않으면 위험할 텐데요?"

애비슨은 이승만을 불러 그 뜻을 전하고 의사를 물었다.

"변복하고 인력거를 타고 가면 되지 않을까요?"

"고맙소. 그럼 그렇게 해주시오."

이승만은 애비슨의 양복을 빌려 입고 실크 모자로 눈 밑까지 눌러쓴 채 셔먼을 따라나섰다. 골목을 나와 큰길가에서 인력거를 기다렸다. 바로 일본총영사관 신세계백화점 근처 앞이었다. 다가온 인력거를 타려고 움직일 때 영사관 근처에 있던 시위侍衛 제2대대 소속의 집총執銃한 군졸崔永植 하나가 영사관 쪽에서 뛰어오더니 앞을 가로막았다.

"잠깐 멈추시오."

그러자 셔먼이 그를 가로막고 영어로 왜 그러느냐

항의했다. 군졸은 셔먼을 제치며 이승만 앞으로 다가섰다.

"모자 좀 벗어주시오."

"왜 그러나?"

"벗으시오."

이승만은 어쩔 수 없이 쓰고 있던 실크 모자를 벗었다.

"맞는군요. 이승만 씨! 당신을 체포합니다!"

셔먼은 영어로 부당함을 따지고 있었다. 체포 영장을 보여달라는 것이었다. 그러나 그 군졸이 알아들을 리가 없었다. 군졸은 총부리를 이승만의 등에 대고 앞으로 걸으라 했다. 셔먼이 뒤따라오려 하자 군졸이 화를 내며 따라오지 못하게 했다. 그렇게 되어 이승만은 경무청에 연행되어 구속되었다. 1899년 1월 9일이었다. 이에 놀란 닥터 셔먼은 자기 병원 일을 도와주려고 나섰다가 체포당했다는 미안함에 어쩔 줄 모르며 미국공사관으로 인력거를 몰았다. 그는 미국공사 알렌을 만나 이승만의 피체 사실을 알렸다.

"지금 어디 있지요?"

"경무청입니다."

"알았소."

알렌은 곧 직원 두 사람을 불렀다. 먼저 한 사람에게 지시했다.

"지금 즉시 경무청으로 가서 우리 미국 고문관인 스트리플링A. B. stripling 씨를 만나시오. 이승만 씨가 체포당하여 구속 상태인데 고문을 받거나 부당한 대우를 받지 않도록 자주 감방을 방문하여 감시하라 하시오."

"예, 알겠습니다."

그 직원이 떠나자 다른 직원에게 또 지시했다.

"공문을 작성하여 외부대신 박제순朴濟純 대감에게 빨리 보내시오."

그러면서 이승만의 체포는 부당하며 조속히 석방해달라는 내용으로 쓰라 했다.

"이승만은 우리 미국 병원 의무醫務 시행 중에 피체되었는 바 이는 외교상 문제가 된다는 점을 부각시키시오."

공문이 곧 발송되었다. 미국공사의 공문을 받은 조정의 외교부와 법무부 대신들은 곧바로 이승만의 석방 문제를 검토하기 시작했다. 미국공사관에서 빨리 손을 썼기 때문에 정부에서도 공사관의 석방 요구에 뒷짐질 수가 없었다. 알렌 공사가 직접 이승만을 면회하고 며칠만 기다려 달라 했다.

"앞으로 사오일만 있으면 약식재판을 해서 석방해 주겠다고 약속했네. 고생되겠지만 참고 기다려주게."

그러나 당사자인 이승만은 별로 기쁜 빛을 띠지 않았다.

"왜 그러나?"

"절 위해 애쓰는 건 고맙지만, 미국 정부의 힘으로 석방되는 건 원하지 않습니다."

"그게 무슨 소린가?"

알렌 공사가 놀라서 물었다.

"지금까지 제가 부르짖은 독립정신에 위배되는 행위를 할 수는 없습니다. 외세를 벗어나 자주自主 자강自强해야 한다고 주장해 왔기 때문입니다. 공사관에 의존하여 풀려났다면 동지들이 우습게 볼 것입니다. 그냥 당당하게 재판받고 고생하다가 나가겠습니다. 죄송합니다."

알렌 공사의 호의를 그래서 거절했던 것이다. 개혁의 투사鬪士가 되어 나가야만 만민공동회를 다시 열어도 열렬한 지지를 받을 수 있지 외국공사관의 줄로 슬쩍 빠져나간다면 군중 앞에서 자기주장을 못할 것 같았던 것이다. 이승만은 서대문에 있던 한성감옥에 들어가게 되었다. 감방 안에는 평소에도 각별하게 지내던 동지들이 있었다. 최정식崔廷植과 서상대徐相大였다. 최정식은 〈매일신문〉에서 이승만과 함께 논설을 맡았고 독립협회에서 활약하던 동지였으며, 서상대는 박영효의 측근으로 역시 개화계몽운동에 앞장서고 있던 동지 중 하나였다.

이승만은 비교적 자유로운 상태에서 감옥 생활을 하게 되었다. 그래서였는지 셔먼을 비롯한 선교사들이나 주상호 같은 배재학당 동창들도 계속 면회를 오고 갔다. 주상호는 나중 한글을 연구한 한글학자 주시경으로 널리 알려진 인물이었다.

어느 날 옥리獄吏가 와서 부친이 면회를 왔으니 나오라 했다. 승만이 나가 보니 아버지 경선공이 승만의 처와 아들을 데리고 함께 와 있었다. 남편 얼굴을 본

처는 눈물부터 닦아냈다.

"아버님, 면목 없습니다."

"아니다. 나랏일을 하려면 온갖 풍상을 이겨야 겠지. 그래 몸은 건강하고?"

"예, 좋습니다. 또 여러 사람이 도와줘서 편하게 옥살이를 하고 있습니다. 어머님은요?"

"집을 비울 수 없다면서 다음에 오겠다더라."

"건강하시죠?"

"그럼!"

그러면서 경선공은 자기 곁에 있던 다섯 살짜리 손자에게 절을 시켰다.

"봉수야, 아비한테 절해야지?"

봉수나중 泰山으로 改名는 승만의 아들이었다. 부끄러 운지 절을 하고 제 어머니 뒤로 숨었다.

"이리 와봐라, 봉수야."

승만은 아들의 손을 잡았다. 눈에 넣어도 아깝지 않은 7대 독자 외아들이었다. 물론 이제 승만의 나이 23세이니 앞길이 창창하고 여러 명의 자식을 둘 수 있는 나이였다. 열여덟 살에 얻은 아들인데 부모님으로부터는 보물처럼 사랑을 독차지하고 있었다.

"서당 공부는 잘하고 있겠지?"

"예."

"〈천자문〉도 떼고 〈명심보감〉도 마쳤다면서?"

그러자 경선공이 아비 못지않게 총명하고 머리가 좋다며 칭찬했다. 경선공은 아들의 석방을 위해 동분서주하고 있었다.

"외부대신 박제순 대감을 만났다. 알렌 공사가 널 석방해달라고 공문서도 보내고 사신私信도 보내 왔다더라."

"잘될 겁니다. 아버지, 세도가들에게 구차하게 찾아다니지 마세요. 때가 되면 나가게 돼 있으니까요."

"그렇긴 하다만 지푸라기라도 있으면 잡고 싶은 심정이야."

승만은 아버지를 위로하고 아내에게 부모님 봉양 잘하고 있으라 당부했다. 경선공은 벼슬길에 나간 적은 없어도 양녕대군 왕가의 후손이란 점을 십분 이용하여 세도가들을 찾아다니며 아들의 구명운동을 벌였다. 왕손이라는 것 때문에 누구도 무시하지는 못했다. 식구들이 돌아가고 나서 이승만은 급성 장염을 앓게 되어 감옥 안에 있던 병감病監으로 옮기게 되었다. 병실에는 마침 동지 서상대가 먼저 입원하고 있었다. 뒤이어 최정식도 입원했다. 두 사람의 병명은 만성 위장병이었는데 그것도 입원을 위해 잠시 꾸민 병명 같았다.

서상대는 무술년 정변 친일 쿠데타에 연루되어 투옥된 처지였으나 최정식은 두 가지 죄목으로 들어와 있었다. 첫째는 쿠데타 연루자로, 또 하나는 조정의 화해책和解策 일환으로 중추원을 설립하겠다며 돈화문 앞에 회의장을 마련하고 고종황제가 친히 임어하여 친견親見할 때 이건 전시효과를 노린 것이지 진실이 아닌 것 같다며 임금 앞에서 "국왕께선 필히 약속을 지켜주시옵소서. 약속을 지키지 아니하면 저희는 개혁을 도모할 수 없습니다"하며 울음을 터트리는 바람에 지존모독죄至尊冒瀆罪로 잡혀 왔던 것이다.

"우남! 잘 생각해보시오. 가장 중요한 때 우리가 이렇게 감옥에서 허송세월하고만 있을 수는 없습니다. 이번 정변 미수 사건을 빌미로 개화파의 재기

再起는 두 번 다시 할 수 없게 하겠다고 나선 쪽은 수구파들입니다."

서상대의 말에 최정식이 깃을 달았다.

"서 동지의 말이 옳습니다. 우리가 종로거리에 나서서 민의에 불을 붙이고 관민 모두 이제 새로운 민주사상에 눈을 뜨고 있는데 이렇게 되면 모든 게 허사로 돌아가고 맙니다. 그들은 우리를 기다리고 있습니다. 우남의 열정적인 그 연설을 듣고 싶어 합니다. 요즘도 백성은 종로거리에 삼삼오오 모여들며 만민공동회가 열리기를 원하고 있다 합니다."

"그 이야기를 자꾸 하시는 이유가 뭐요?"

"이 감옥에서 빠져나가야지요."

"뭐라고요? 탈옥을 하자고요?"

"그렇소."

"난 죄도 없이 잡혀 왔소. 그러니 기다리면 석방될 터인데 탈옥했다가 잡히면 중형重刑을 받아 두 번 다시 햇빛을 못 볼지도 모르는데 그 위험한 짓을 자초하자는 저의가 무엇이오?"

"우남은 정말 순진한 것이오, 아니면 모자라시는

87

거요?"

"날 모욕하지 마시오."

"정변을 모의했다면 주모자이든 연루자이든 역적이오. 주모자는 사형을 받겠지만, 연루자는 적어도 10년 이상 중형을 받아 감옥에서 썩게 되어 있습니다. 죄가 없다고요? 정상참작이 되어서 그냥 나갈 수 있다고요? 외국 공사들이 가만있지 않을 테니 가만있어도 그들이 꺼내줄 거라고요? 꿈 깨시오. 설사 그리된다 해도 질질 끌다가 2, 3년은 여기서 썩어야 겨우 나갈 수 있을 게요. 2, 3년 후에 나간다 칩시다. 당신을 기다리던 백성들은 등 돌리고 다시는 당신 연설에 귀 기울이지 않을게요. 내 얘기는 타오르기 시작한 종로거리의 불을 꺼뜨리지 말자는 거고 그러자면 동지들이 기다리고 있는 그곳으로 가자는 거요."

"탈옥수로 수배된 채?"

"그게 두려울 게 뭐요? 시위로 맞서고 부당함을 외치면 감히 누가 잡으러 올 거요? 우남은 지금까지 그렇게 해서 성공하지 않았소?"

이승만은 고민에 빠졌다. 알렌 공사가 힘을 써

무사히 석방될 수 있었지만 그는 자주독립을 외치는 투사로서 자존심이 허락하지 않는다며 거절했었다. 게다가 특별한 죄를 지은 것도 없는데 탈옥이란 극단적인 방법을 써서 나간다는 것이 빨리 납득이 가지 않았다.

그런 이승만의 마음이 흔들리게 된 것은 민회民會, 만민공동회 문제였다. 왕명으로 민회가 강제 해산 당했지만 지하에서 암약하던 간부들이나 배재학당 후배들은 여기서 주저앉으면 안 된다며 대대적인 가두시위를 은밀히 추진하고 있었다.

6. 민중은 당신을 기다린다

　　그러나 거기에는 대중적인 인기가 있던 지도자가 없었다. 역시 인기 있는 청년 지도자는 이승만이었다. 그는 군중을 사로잡는 웅변술이 있었고 그가 나서면 구름처럼 모아들이는 카리스마가 있었다. 그는 이미 선동적인 대중 정치가가 되어 있었던 것이다.

　　"배재 학생들이 주동이 되어 30일 저녁 종로 네거리에서 민회를 열고 독립협회 복설을 주장하는 시위를 열기로 했습니다. 선배님 같은 분이 있어야 합니다. 그런데 안 계시니 안타깝습니다."

면회 온 학당 후배가 전해준 말이었다.

"그것 보시오. 우남 나오기만 기다리고 있지 않소? 내가 연락을 해보리다. 민회 준비를 어떻게 하고 있는지."

말을 전해 들은 최정식은 그래서 탈옥하자 권했다며 외부와의 연락을 서둘렀다. 며칠이 안 되어 외부에서 들어온 소식은 민회 준비는 끝났고 30일에 대규모로 열기로 했으며 모두가 이승만이 탈옥해 나오기만 기다리고 있다고 전해주었다. 이승만도 마침내 탈옥 쪽으로 마음이 기울었다. 투옥된 지 21일째 되던 1월 30일 아침이었다. 이미 병이 나았다 하여 세 사람은 일반 옥방으로 옮겨져 있었다. 그때 최정식이 이승만에게 소곤거렸다.

"우리가 계획한 대로 오늘 밤 탈옥을 결행합시다. 마침 그믐이라 달빛도 없이 어두울 테고 옥서장獄署長의 생일이라 옥리獄吏들을 모아 잔치 음식을 나눈다 하니 경비가 소홀해질 수밖에 없소. 그 틈을 이용하여 탈옥합시다. 그리고 주상호, 주시경 동지에게 무기는 준비하고 옥리를 매수하여 차입해달라 했으니 하마 오늘 중에는 우리에게 건네지지 않을지 모르겠소."

탈옥 때 만일을 모르니 무기가 있어야 한다고 최정식이 주시경에게 부탁하여 육혈포六穴砲 권총을 구해달라 했었다.

"최정식, 면회요."

옥리가 다가와 전해주었다. 최정식은 의미 있게 미소를 지어 보이고 나갔다. 얼마가 지나자 그가 돌아왔다.

"우리 집 식객食客 최학주崔鶴周가 사식私食을 가지고 왔더군? 조금 있으면 옥리가 가져다줄게요."

아닌 게 아니라 매수된 옥리가 음식을 싼 큰 보퉁이를 들고 와서 전해주었다.

"열어보시오."

최정식이 보자기를 펼쳤다. 질투가리 두 개와 김치가 든 그릇 등 밑반찬 몇 가지가 담겨 있었다. 최정식이 질투가리 뚜껑을 열었다. 거기에는 제법 큰 백숙 닭이 각각 들어 있었다. 국물은 따로 병 속에 넣어 들여왔다. 최정식은 가른 배를 묶어 놓은 닭 가슴 실밥을 뜯어내었다. 기름종이로 싸인 물건이 나왔다. 그걸 푼 순간 놀라는 신음이 나왔다.

"아니? 육혈포 아니오?"

두 자루의 권총이었다.

"이 한 자루는 내가 간직할 테니 한 자루는 우남이 간직하시오."

최정식은 권총 한 정은 자기가, 또 한 정은 이승만에게 건네주었다. 절묘하게 때를 맞추었다고 최정식이 득의만면했다.

"저녁이 되면 최소한의 옥리만 남기고 감옥서 큰 식당으로 옥리들을 불러 잔치 음식을 먹인다 했소. 탈옥할 호기는 그때뿐이요. 만반의 준비를 하고 기다립시다."

저녁 여섯 시경이 되었다. 아닌 게 아니라 옥리들은 감방 앞에 두 명만 파수를 세워두고 나머지는 큰 식당으로 몰려갔다.

"지금이오. 종로 네거리에서 밤 집회를 열며 모두 우릴 기다리고 있다니 종로 네거리에서 만납시다."

초조하게 울 기둥 밖을 살피고 있던 최정식이 소곤 거렸다. 그런 다음 그는 큰 소리로 울 기둥을 잡고 배가 아프다고 몸을 뒤틀었다.

"뭐야?"

옥리가 다가와 물었다.

"사식으로 들어온 백숙을 먹었는데 급체한 듯싶소."

서상대가 꾸며서 말을 하자 옥리는 더 자세히 살피려고 최정식 앞에 다가앉았다. 그러자 최정식이 옥리의 멱살을 왼손으로 움켜쥐며 잡아끌고 오른손에는 권총을 든 채 그의 가슴을 겨누었다.

"소리치면 죽을 줄 알아, 어서 옥문을 열어, 어서!"

"예."

옥리가 자물통에 쇳대를 꽂자 옥문이 열렸다.

"나갑시다!"

세 사람은 달려나갔다. 최정식이 앞장서고 중간에 이승만 남나중으로 서상대가 따랐다.

"저놈들 잡아라, 탈옥수다!"

옥리들이 외치는 소리와 여기저기에서 달려오는 발걸음 소리가 어지럽게 들려왔다.

"탕! 탕! 탕!"

앞섰던 최정식의 권총에서 세 발의 총성이 터져 나왔고 급히 피하던 옥리金允吉 하나가 등 뒤에 총탄을 맞고 쓰러졌다. 세 사람은 곧 감옥서 정문 앞으로 달려나갔다. 정문 파수를 서고 있던 군졸 세 명이 급히 막아서자 최정식은 공포 두 발을 쏘았다.

"비키지 않으면 죽이겠다. 비켜라!"

권총을 든 것을 본 군졸들은 메고 있던 조총은 어깨에서 벗겨내지도 못하고 피했다. 최정식과 서상대 그리고 이승만은 종로 네거리를 향해 어둠 속을 내달렸다. 추격하는 순검들과 군졸들을 따돌리려고 세 사람은 비좁은 골목길로 이리저리 뛰었다. 그러다 보니 세 사람은 서로 헤어져 각각 종로거리를 찾아가게 되었다.

"아아."

턱에 숨이 차서 달려온 이승만은 자기도 모르게 절망의 신음을 목 뒤로 넘겼다. 분명 자기가 서 있는 곳은 육조거리가 시작되는 종로 네거리 한복판인데 텅 빈 채 어둠만 잠겨 있었던 것이다. 배재 후배들과 독립협회 동지들이 모두 모여 집회를 열고 자기

오기만 기다린다 했는데 단 한 사람도 눈에 띄지 않았던 것이다.

"이게 어찌 된 일인가?"

너무도 허탈해서 어쩔 줄 모르고 서 있는데 골목길 쪽에서 횃불 이십여 개가 쏟아져 나왔다. 혹시나 하고 눈여겨보던 이승만은 다시 한번 절망의 신음을 씹었다. 횃불을 든 시위대 군졸들이었다. 그들은 순식간에 이승만을 에워싸고 총검을 등 뒤에 들이대고 체포되었으니 걸으라 명했다.

이승만은 그렇게 체포당하여 경무청으로 끌려갔다. 같은 시각. 최정식과 서상대는 먼저 종로거리에 닿았지만, 인적이 없다는 걸 알고 뭔가 집회에 차질이 생겼구나 직감하고 정동 쪽으로 뛰어 감리교회 안으로 들어가 숨었다.

집회 준비에 문제가 생기자 준비위 측은 3일 후로 연기하게 되었다. 그 사실을 옥중에 있던 이승만에게 누군가 면회를 와서 알려주었어야 하는데 그걸 못한 바람에 연기 사실을 전달받지 못하고 탈옥을 결행했던 것이다.

경무청으로 끌려온 이승만은 처음부터 고문실로 들어가 혹독한 고문을 받게 되었다. 이승만을 문초하게 된 자는 최달북崔達北이었는데 잔인하기로 악명이 높은 자였다. 최달북은 황국협회 회원이었고 언젠가는 이승만이 자기 손에 걸려들 날이 있으리라며 별러온 자였다.

"옷을 다 벗길까요?"

문초를 도와주는 형리가 최달북에게 물었다.

"아직은 아니다. 우선은 가새주리형 맛을 보도록 걸상에 앉혀라."

"옛."

이승만은 새카만 걸상에 앉혀졌다. 순검은 움직일 수 없도록 포승으로 걸상에 단단히 묶었다. 최달북은 주리 틀 준비를 하라고 지시했다. 위통을 벗어젖힌 형리 둘이 다가서며 작대기를 이승만의 허벅지 사이에 X표로 꽂았다. 서로 반대편으로 작대기에 힘을 주어 누르면 허벅지 살이 터지고 심하면 허벅지 뼈가 으스러지게 되는 악형이다.

"이승만! 난 너 오기를 단비 기다리듯 했다. 어느

코에 걸려도 걸릴 거라 생각했지. 그랬더니 금상을 몰아내고 친일파 박영효를 모시자고? 나라가 자주독립을 지켜내야 한다고 종로 거리에서 떠든 건 다 거짓이었단 말인가? 친일파 나라를 만드는 게 자주독립이었나? 이승만! 바른대로 불어야 살아서 나간다는 걸 명심하라. 당신이 탈옥하는데 옥 밖에서 도와주고 공모한 자들이 있다. 공모자가 누구인지 불어라.”

“없소이다.”

“없다고? 있다고 불 때까지 주리를 틀어라!”

이윽고 가새주리를 틀기 시작했다. 형리 둘이서 서로 반대편으로 작대기를 힘껏 누르기 시작했던 것이다.

“으윽!”

그의 입에서는 비명이 터져 나오고 뼈마디가 부서지는 듯한 소리가 났다.

“어서 불어라. 분명 독립협회 간부들과 배재학당 놈들이 탈옥을 도왔다. 공모자를 불어라.”

“옥 안에서 상의한 자 외에 공모한 자는 없습니다.”

"이자가 아직도 뜨거운 맛을 보지 못해 거짓말을 하고 있다. 공모자를 불 때까지 손가락 주리를 틀고 대꼬챙이 맛을 보여줘라."

"옛."

형리들은 걸상 팔걸이에 양손 손목을 묶었다. 그런 다음 손가락 사이에 막대기를 끼우고 사정없이 비틀었다. 손마디가 전부 부서지는 듯한 충격을 받고 이승만은 실신했다. 의식을 잃자 찬 물통을 뒤집어 씌워 정신을 차리게 했다.

그렇게 고문을 가해도 이승만은 할 말이 없다며 입을 다물었다. 신음과 비명만 참을 뿐이었다. 최달북은 화가 치밀어 길길이 뛰면서 자백을 받아내라고 소리쳤다.

"산적散炙을 꿰어라!"

대나무 꼬챙이를 가지고 엄지손가락부터 차례대로 손톱 밑에 가느다랗고 날카로운 대꼬챙이 바늘을 밀어넣고 점점 힘을 가해 찌르는 형벌이 산적 꿰기였다. 가장 고통스럽고 잔인한 고문 중 하나였다.

열 손가락에 그것도 여러 번 고문을 당하면서 세

번이나 정신을 놓았고 피투성이가 된 양손은 퉁퉁 부어올라 움직일 수 없을 정도가 되었다. 이 고문 후유증으로 이승만은 40년 동안이나 서예 붓을 들지 못해 글씨를 쓰지 못할 정도였다. 그뿐만 아니라 무슨 일이 안 될 때, 불안감이 고조될 때 혹은 흥분했을 때 승만은 평생 자기도 모르게 손끝을 입에 대고 후후 부는 습관을 갖게 된 것도 그 고문 후유증 때문이었다.

혹독했던 고문은 며칠 동안 계속되었다. 그러나 별다른 것이 나오지 않자 그냥 더럽고 지저분한 독방에 가두어버렸다. 선교사들의 면회나 가족들의 면회도 허락하지 않았다. 아직 정식 재판을 받지 않았다는 게 이유였다.

정신적인 지주였던 어머니가 병을 얻어 타계했는데도 승만은 모르고 있었다. 어머니가 돌아가신 것은 그가 탈옥하기 바로 전이었다. 면회가 금지되어 있었으니 알 길이 없었다. 그가 이 경무청 미결감옥에 갇혀 있던 기간은 7개월 동안이었다. 7개월 만에야 재판을 받고 기결감방인 한성감옥으로 이감되었던 것이다.

이승만의 아내는 효부였고 당찬 면이 있던 부인이었다. 남편이 투옥되자 그녀박승선는 가마니 떼기 한 장을 들고 8살 먹은 아들 봉수의 손을 잡은 채 인화문 앞에 나가서 자리를 깔고 앉아 죄 없는 남편 이승만을 석방해달라고 임금께 목각청원伏閣請願을 올렸다.

복각상소上疏는 선비들이나 하는 거지 아녀자가 자리를 깔 수는 없는 일이라며 시위대 군졸들이 내쫓았다. 쫓겨나가면서도 그녀는 눈물을 흘리며 남편의 구명을 애원했다. 부인을 병마로 잃은 경선공도 계속해서 슬픔에 잠겨 있을 수 없이 아들의 석방을 위해 백방으로 뛰어다니며 도움을 청하고 있었다. 하지만 탈옥까지 한데다가 무기까지 소지한 중범이니 그전과는 사정이 아주 달라져 있었다.

도대체 악독한 고문을 받았다는 소문만 있을 뿐 확인할 길이 없었다. 때마침 〈제국신문〉과 〈황국신문〉에 이승만이 고문을 견디지 못하여 사망했다는 기사가 실리게 되었다. 이승만의 사망설은 급속히 퍼져 나가 민심이 술렁이게 되었다. 경선공은 즉시 경무청으로 찾아와 통곡하며 아들 시체를 내놓으라고 울부짖었다. 그러자 난감해진 경무청장이 직접 나서서 진땀을 빼며 해명했다.

"지금 감방 안에 있습니다. 신문 기사가 오보입니다. 염려 마시고 돌아가세요."

"내 아들이 살아 있다면 내 눈으로 직접 확인합시다. 그래야 믿을 수 있으니."

"면회는 안 됩니다. 그럼 이렇게 합시다. 아드님 필적을 받아내올 터이니 그걸 보면 믿으시겠지요?"

"할 수 없군요. 그거라도 믿읍시다."

청장은 옥사장을 시켜 이승만의 친필을 받아오라 했다. 옥사장이 감방으로 가서 씌워놓은 칼을 벗겨주고 포승줄도 풀어준 다음 편지를 몇 자 적으라 했다.

"갑자기 왜 이러시오?"

"신문들이 당신이 옥사했다고 써대는 바람에 당신 부친이 시체 내달라고 쫓아왔소. 살아 있으니 염려 마시고 돌아가시라 몇 자 적으시오."

아들의 필적을 보고 나서야 살아 있다는 걸 알고 경선공은 안심하는 표정을 지었다.

"왜 재판은 못 하는 거요?"

"곧 공초가 끝날 것입니다. 끝나면 바로 재판이 열리게 되니까 댁에 가서 기다리세요. 재판일이 결정 나면 댁으로 전해 드립니다."

경선공은 아들 얼굴도 보지 못하고 돌아갈 수밖에 없었다.

그러던 어느 날. 초주검이 되어 옥리 두 사람에게 떠메어 옥방으로 들어온 죄수는 함께 탈옥했던 최정식이었다. 탈옥한 지 두 달 만이었다. 나중 얘기를 들어보니 최정식과 서상대는 정동교회에 숨어 있다가 길거리 경비가 허술해지기를 기다려 배재학당으로 잠입해 들어갔다고 했다.

"그럼 지금까지 학당 안에 숨어 있었단 말이오?"

"영국인 교사 엠블리 선생 집으로 숨었지요. 사흘 동안 피신해 있다가 서상대 동지는 한밤중에 서대문 근처로 가서 성문이 열리기를 기다려 새벽에 무사히 빠져나갔다 합니다. 만주로 도망친다 했으니 잘 갔으니까 아직 잡혀오지 않았겠지요."

"함께 탈출하지 않았던 모양이군요?"

"난 나흘째 되던 날 저녁때 성문이 닫히기 전 엠블리 부인에게서 서양 여자 옷을 빌려 입고 서양 여자처럼 변장하고 엠블리 부인과 함께 무사히 서대문을 빠져나갔소. 엠블리 부인은 바로 집으로 돌아가고 나는 내처 북으로 걸어서 평양에 도착했지요. 일본으로 밀항하기로 했소. 진남포로 갔지요. 거기서 밀항선을 타려고 엿보다가 여관 주인에게 부탁했는데 그자가 밀고하는 바람에 잡혀서 압송되어 온 것이오."

최정식은 곧 고문실로 불려 나가 이승만이 받은 것과 같은 혹독한 고문을 받고 이승만의 옆방인 독방에 갇혔다. 무시무시한 고문 때문에 이승만은 극도의 공포감으로 하루하루를 지냈지만, 그에 못지않은 고통은 바로 발에는 착고着錮라 하여 족쇄를 채우고 두 손은 사슬로 묶고 머리에는 10킬로그램이 넘는 무거운 나무판으로 만든 칼을 목에 채워서 편안하게 앉아 있지도 못하고 그렇다고 서 있는 것도 아닌 엉거주춤한 자세로 온종일 버텨야 한다는 것이었다.

아직 판결을 받지 않은 미결수들이 갇혀 있는 감옥이었지만 갑자기 불려 나가 재판을 받아 사형선고를

받으면 기결감옥에 넘겼다가 사형을 집행하는 게
아니라 선고를 받고 돌아오자마자 즉시 끌고 나가
교수형을 집행하는 것 또한 견딜 수 없는 고문이었다.

승만은 밤이 되면 사형선고를 받고 아무도 모르게
끌려나가 목을 매어 죽이는 악몽을 수없이 꾸며 몸을
떨었다. 승만은 옥리에게 애원하여 편지 한 장을 쓸
수 있도록 해달라고 했다. 겨우 승낙을 받고 그는
편지가 아닌 유서 한 장을 눈물로 썼다.

7. 종신징역, 무기수 이승만

아버지 경선공 앞으로 유서를 썼다. 부모님 앞에서 먼저 가는 불효를 용서하시라며 자신의 잘못과 남기고 가는 가족들을 부탁하는 내용이었다. 유서를 써놓긴 했지만 자기가 끌려나가 죽으면 전할 길이 없어 보였다. 독방은 하루에 두 번 5분 정도 쓰고 있던 칼을 벗겨주고 쉬는 시간이 있었다. 그 시간에 이승만은 건너편 감방에 앉아 있던 죄수에게 사정했다.

"노형! 내 부탁 하나만 들어주시오."

"뭔데요?"

"난 언제 끌려나가 죽을지 모릅니다. 그래서 부모님께 유서를 써놓았는데 내가 죽으면 전할 길이 없구려. 나 대신 가지고 계시다가 우리 부모님께 전해주면 고맙겠소이다."

"그렇게 하쇼."

그는 선선히 고개를 끄덕였다. 이승만은 유서를 접어서 그 죄수가 있는 방 안으로 힘껏 던졌다.

"부탁하오."

그 죄수가 접힌 유서를 가슴 속에 넣는 게 보였다. 그런데 오래지 않아 문제가 생기고 말았다. 오후가 되자 그 죄수는 공판을 받으러 재판정으로 나갔다. 얼마가 지나자 그 죄수는 거의 실신한 채 울며 옥리들의 부축을 받고 돌아왔다. 감방으로 돌아온 그는 자기 사물私物을 정리해 놓고 일어섰다. 옥리가 문을 열고 그를 끌어냈다.

도대체 어떻게 돌아가고 있는지 몰라 이승만은 칼을 쓴 채 바라보았다. 그가 끌려가며 이승만을 돌아보고 외쳤다.

"잘 있으시오. 나 먼저 저승으로 갑니다."

사형선고를 받고 사형장으로 끌려가고 있었던 것이다. 자기가 먼저 형장으로 갈까 보아 그 죄수에게 유서를 맡겨 놓은 것인데 죽는 데는 순서가 없다더니 그가 먼저 떠나고 있었던 것이다. 그렇다고 그를 불러 맡겨둔 유서는 놓고 가라 할 수도 없는 처지였다.

그 죄수의 죽음은 심각한 충격으로 다가왔다. 다음 차례는 자신일 거라는 공포 속에 지내게 되었던 것이다. 다가오는 옥리들의 발걸음 소리나 그들이 떠드는 소리만 들려도 소름이 돋고 죄수들의 오열하는 소리만 들어도 지옥문이 자신 앞에서 열리고 있는 듯한 착각에 빠지곤 했다.

"오, 주님! 살려주시옵소서."

절망 속에서 자기도 모르게 나온 비명 같은 기도 소리는 바로 살려달라는 말이었다. 배재학당에 입학하고 졸업할 때까지 학생들은 의무적으로 매일 채플 시간을 지켜야 했다. 예배를 드려야 했던 것이다.

서당 친구 신흥우가 찾아와 배재학당에 들어와 자기와 함께 신학문을 배우자 했을 때 승만은 마지 못해 한 번 가보겠노라 했었다. 그런 다음 며칠이 지나서 서당 친구 두 명을 불러 셋이서 학당을 찾아 갔었다. 그날 하루 동안 진행되는 수업과 예배를 지켜보았는데 나중 이승만의 회고에 의하면 '어디 어떻게 뭘 가르치는지 봐주기나 하자.' 그런 태도로 팔짱을 끼고 청강을 했다고 했다.

특히 서양 종교인 예수교는 거부반응을 보였었다. 그래서 영어 정도 배우는 것으로 만족하자고 학업을 시작했는데 다른 신학문에 빠져들게 되었다. 그 때문이었는지 학당을 졸업하고 지금에 이르도록 승만은 예수를 영접하고 세례를 받지 않았다.

"하나님, 용서하시옵소서."

그는 눈물을 흘리며 진정으로 회개했다. 죽음의 문턱에 이르자 절대자인 누군가가 구해달라고 애원하고 있었던 것이다.

"분명 하나님은 이 옥방 안에 저와 함께 계심에도 저는 모르고 있었습니다. 이제야 계심을 알게 되었습니다. 이 죄인 이 질고의 고난에서 사망의 두려움에서 건져내주시고 구원해주시옵소서."

밤새도록 참회의 기도를 올렸다. 하룻밤을 꼬박 새웠지만, 아침이 되자 정신은 마치 깨끗이 닦아 놓은 그릇처럼 청명해지고 마음은 한없는 평화가 찾아왔다. 그때부터 감옥 안의 모든 두려움과 초조함에서 벗어날 수 있었다.

드디어 투옥된 지 7개월 만인 7월 27일 이승만의 공판이 열린다는 소식을 옥리가 전해주었다.

"밖으로 나오시오."

"무슨 일입니까?"

"기다리던 당신 재판이 평리원平理院에서 열린다."

다른 때 같았으면 재판에서 사형선고를 받아 죽으러 가는 것 같은 공포감으로 떨 수도 있었으나 지금은 아니었다. 이미 예수교에 입신入信하여 평온을 찾았기 때문이었다. 그는 나가기 전 잠시 모든 건 신 앞에 내려놓고 맡겼으니 평온하다고 기도했다.

"승만아!"

감옥 문 밖으로 호송되어 나가는데 문 앞에서 누군가 부르고 있었다.

"아버님!"

경선공이었다. 그는 복녀와 함께 기다리고 있었다.

"왜 그렇게 야위었느냐?"

"전 괜찮습니다. 아버님이 걱정돼요."

"아니다. 네 처 그리고 봉수, 모두 잘 있다. 그리고 내가 여기저기 줄을 대고 있으니까 너무 염려하지 마라."

더 말을 나누지 못하도록 호송 순검들이 제지했다. 평리원재판소은 멀지 않은 곳에 있었다. 법복을 입고 판사가 서기 그리고 검사와 함께 앉아 있었다.

"아."

재판장을 바라본 승만은 아연하고 말았다. 그는 전 황국협회 회장을 지낸 강경 보수파의 거물 판사였던 것이다. 승만에게는 정적政敵 관계에 있는 인물이었다. 게다가 재판이 불리하게 돌아가게 된 것은 탈옥 주범 최정식의 진술 때문이었다.

"먼저 탈옥하자고 강권한 사람은 이승만입니다. 서상대도 동조했고요. 해체된 만민공동회를 다시 복설시키고 독립협회를 회복시키기 위해 이승만의 후배들인 배재학당 학생들이 주동이 되어 종로에서 대대적인 민회를 열기 위해 준비 중이고 그들은 자기가 나오기만 기다리고 있다. 그러니 탈옥해서 나가야 한다며 함께 결행하자 했습니다. 그리고 권총을 들여오도록 손을 쓴 사람도 이승만이었습니다.”

최정식은 모든 것을 이승만에게 뒤집어씌웠다. 너무도 어처구니없는 거짓 진술에 이승만은 할 말을 잃었다. 서상대가 잡히지 않아 그는 태연하게 거짓말을 할 수 있었던 것이다. 그는 미결감으로 다시 돌아와서도 자신의 거짓을 사과하지 않았다.

판결 선고는 일주일 후에 한다고 했다. 범죄가 탈옥 사건이지만 사실은 진고개파의 황제폐위 음모 친일 쿠데타 미수사건까지 연루되어 있었기 때문에 공판이 길어졌던 것이다. 공판이 끝나 감옥으로 다시 돌아오려고 평리원을 나서려 할 때에도 아버지 경선공이 기다리고 있다가 잠시 아들을 만났다.

“사필귀정이다. 누가 거짓말을 하고 있는지, 네게 죄가 있는지 없는지는 하늘이 알고 있으니 너무 걱정하지 마라. 조정 대신 중에는 네 편이 많다. 잘 끝날 거야.”

실제로 경선공은 실력파 대신들을 찾아다니며 아들의 무죄를 역설하고 석방해달라 탄원했다. 이승만의 석방에 적극성을 보인 사람 중에는 엄비嚴批. 越獻皇貴妃 같은 이도 들어 있었다. 엄비는 이승만의 석방운동에 앞장서주었던 언더우드 선교사의 부인이던 릴리어스Mrs Lillias Underwood와 친했고 이승만의 신문 논설 애독자였던 것이다.

그리고 주미공사 알렌을 비롯한 모든 선교사도 이승만의 석방을 위해 애를 썼다. 그들은 이승만 가족의 생계를 위해 물질적인 도움도 아끼지 않고 있었다. 이윽고 탈옥사건의 선고공판이 열리게 되었다.

이승만의 반대파인 재판장 홍종우鍾鍾宇가 어떤 판결을 내릴지 그게 초미의 관심사였다. 그의 한마디에 목숨이 왔다 갔다 하게 되기 때문이었다. 홍종우는 먼저 최정식에 대한 최종 판결 선고를 했다.

"피고 전 주사 당 34세, 최정식은 이규완의 황제 폐위 정변음모 미수사건에 연루된 자로서 구치 중 엄중한 형벌을 받을 것을 두려워한 나머지 서상대와 상의하여 탈옥을 결심하고 이승만을 끌어들였다. 피고 최정식은 동반 탈옥을 거부한 이승만을 회유 혹은 협박까지 한 사실이 있으며 권총을 밀반입할 때는 자가의 식객 최학주를 통하여 들여왔으면서 이승만이 들여온 것처럼 허위진술까지 했다. 피고 최정식의 지존 모독 혐의는 구체적 확증이 없음이 밝혀졌으며 무력정변 미수사건의 연루 여부는 강성형의 공초에서 비롯된 것이었으나 그 또한 죄 될 만한 단서가 없었다. 다만 최정식의 중죄는 탈옥과 함께 도주하다가 옥리 한 명에게 발포하여 상해를 입힌 사실이 명백히 드러나므로 피고 최정식을 대명률大明律 포망편捕亡篇 죄인거포조罪人拒捕條에 의거 교수형絞首刑에 처하노라."

최정식에게는 사형선고를 내렸던 것이다. 다음 차례는 이승만이었다. 심호흡을 한 번 하고 이승만은 잠시 방청석을 돌아보았다. 아펜젤러, 애비슨, 셔먼을 비롯한 미국인 선교사들이 지키고 있었고 여의사 화이팅의 모습도 보였다. 승만의 부친 경선공도 초조한 기색으로 앉아 있었다. 이윽고 판결 선고가 내려졌다.

"피고 중추원 전 의관 당 25세 이승만. 피고 이승만은 황제 폐위 정변 음모 미수사건에 연루된 자로 공초를 받고 투옥된 자로서 정변 음모 주모자인 이규완을 찾아가서 정변이 실패하면 타국으로 망명 피신하고 싶은데 힘을 써줄 수 있겠느냐고 상론한 혐의를 받고 있었으나 확증이 없어 무혐의 처리했으나 자의든 타의든 최정식과 동반 탈옥했다가 피체된 사실이 있고 무기 사용은 하지 않았지만 불법으로 무기를 소지한 점 등을 인정하여 피고 이승만은 대명률 포망편 죄인 거포조에 의거 동조同條의 위종자율爲從者律. 從犯에 준하여 태 1백笞一百과 징역 종신終身에 처한다."

방청석에서 박수 소리가 일어났다. 서양 선교사들이 천만다행이라는 듯 기쁨의 손뼉을 쳤던 것이다. 형리가 박수를 치지 못하게 하고 정숙하라 일렀다. 최정식은 고개를 떨어뜨린 채 이승만의 얼굴은 바로 보지 못하고 법정을 나갔다.

이승만은 안도의 숨을 쉬었다. 최정식과 같은 법 조항에 걸렸지만, 이승만은 공범이 아닌 종범으로 처리되어 태장 1백 대에 종신형을 선고받았던 것이다. 어찌 됐던 사형을 면하게 된 것만도 감사해야 할 일이었다.

법정을 나가는 이승만에게 아버지 경선공이 다가와 염려하지 말라 그 한마디만 해주었다. 이승만은 경무청 미결감옥으로 다시 돌아와 마지막 밤을 새우게 되었다. 내일이면 태장 백 대를 맞고 기결감옥인 한성감옥으로 이감될 것이다.

이튿날 새벽 두런거리는 소리와 발걸음 소리에 눈을 떴다.

"최정식, 면회요."

옥문 여는 소리와 착고 푸는 소리, 칼 벗는 소리 등이 들려왔다. 최정식의 방이었다. 잠시 후 최정식이 옥리에 떠밀려 나가려다 이승만의 방 앞에 다가섰다. 그리고 큰 소리로 외쳤다.

"이승만 씨! 내가 거짓으로 당신을 무고한 점 용서하시오. 난 갑니다. 이 새벽에 누가 면회를 오겠소? 저승사자라면 몰라도! 우남은 살아 나가서 부디 큰 뜻을 펼치시오."

목이 멘 채 울부짖듯 외치며 멀리 사라져 갔다. 이승만은 일어나 무릎을 꿇은 채 울 기둥을 잡고 부디 좋은 곳으로 가게 해달라고 기도했다.

한편 이른 새벽인데 경선공은 집을 나서서 웃보습고지_{을지로} 큰길을 부산하게 걸어가고 있었다. 그의 손에는 보통이 하나가 들려 있었다. 시구문 근처에 이르러 언덕배기에 있던 어느 초가집 앞에 이르렀다.

잠시 망설이던 그는 큰 소리로 "이리 오너라"를 외쳤다. 삽짝이 열리며 부인네 하나가 치마에 물 묻은 손을 씻으며 나왔다.

"누굴 찾으세요?"

"새벽같이 결례가 많습니다. 혹시 이 댁이 경무청에 다니시는 김윤길 옥리 댁 아닌가요?"

마당 쪽에서 사람 소리가 나자 출근 채비를 하고 있던 옥리 김윤길이 마루로 나왔다.

"누구시죠?"

"안녕하십니까? 난 이경선이고 어제 징역 종신형을 받은 승만이 아비 되는 사람 옳쇠다."

"그렇군요."

"어제 법정에 계셨으니 알겠군요? 우리 아들은 징역 종신뿐 아니라 태장 일 백까지 받았습니다. 내가 알아보니 오늘 태장을 치는 옥리는 바로 김윤길 옥리님이란 말을 들었소이다."

"헌데 왜 오셨지요?"

"우리 아들 좀 살려주시오. 댁이 바로 우리 아들이 파옥破獄하고 도주할 때 총상을 입은 분이라는 거 잘 압니다. 정말로 뭐라 사죄할 길이 없습니다. 부상을 치료하시는 데 치료비라도 부담해야 하거늘 형편이 어려워서……."

"그거라면 사죄하실 필요 없습니다. 제게 총을 쏜 자는 댁의 아드님이 아니고 최정식이었으니까요."

"그렇다 해도 함께 한 짓이지요."

"알았으니 돌아가십시오."

"나는 양녕대군 어른의 직계 15대손으로 5대 독자입니다. 우리 아들 승만이도 외아들이라 6대 독자올시다. 태장 백을 맞으면 거의 죽는다 합니다. 죽지만 않게 헐장歇杖. 형식적인 매 때림을 해주십시오. 제발 부탁합니다."

하도 간절하게 당부를 해서였던지 김윤길 옥리는 오히려 경선공을 위로했다.

"댁의 아드님이신 이승만 씨에 대해서는 저도 잘 압니다. 장차 조선을 대표하는 인물감이라고 모두 칭찬하고 있는 젊은이입니다. 어르신 뜻 잘 알았으니 돌아가십시오."

"고맙소. 이 은혜 어떻게 갚아야 할지 모르겠구려."

경선공은 가지고 간 인삼 꾸러미를 꺼내어 놓고 나오려 했다. 김윤길은 깜짝 놀라며 되돌려주었다. 경선공이 집으로 돌아온 뒤 오후가 되자 태장 때리는 형벌을 시행한다고 알려왔다. 태장형을 받는 죄수들이 여러 명이라 한꺼번에 형장에서 시행되었다.

이승만을 담당한 압뢰押牢 옥리는 김윤길이었다. 이승만은 형틀 위에 엎드려서 태장을 맞게 되었다. 제대로 태장 백 대를 맞으면 거의 모두 죽음을 맞이한다. 이승만은 엎드린 채 하나님께 살아서 나갈 수 있게 해달라며 기도했다.

이윽고 김윤길은 태장을 치기 시작했다. 헐장이었다. 맞는 소리만 요란할 뿐 전혀 아프지 않게 치는 것이다.

태장을 치기 시작하자 임석한 재판장 홍종우는 바로 자리를 떠났다. 홍종우는 이승만이 누구인지 잘 알고 있었다. 정적 관계에 있었다.

사형을 내릴 수 있었는데도 그는 이승만의 목숨을 살려주었다.

태장형이 끝난 뒤에 승만은 계속 의문을 가졌지만 그렇게 되기까지에는 아버지 경선공의 힘이 무엇보다 크게 주효해서였다. 전현직 고관은 모조리 다 찾아 다니며 아들의 구명을 당부했고 외국 공사관 외교관과 선교사를 찾아다니며 도움을 청했다. 홍종우가 종신형을 때려 살려준 것은 바로 이승만이 왕손이라는 점과 배후라 할 수 있는 외국 공관들의 지원과 고종황제의 정치적 배려에 힘입은 결과라 할 수 있다. 홍종우도 어쩔 수 없었던 것이다.

8. 지옥에서의 결신決信 기도

　이승만이 종신형을 받은 기결수로 복역을 시작한
한성감옥은 조선조 초기부터 있었던 전옥서典獄署를
갑오개혁 때 한성감옥서로 개칭하여 일명 종로감
옥이라 부르기도 했다. 개수改修를 위해 잠시 서소문
근처로 옮겼다가 다시 종로 구감옥으로 이전을 했다.
　한성감옥은 지금의 영풍문고 근처에 있었고
이승만은 1899년 1월부터 시작하여 1904년 8월까지
만 5년 7개월 동안 복역했다. 종로감옥은 붉은 벽돌로

지어졌으며 2개 동의 건물이 마주하고 있었다.

그중 큰 건물에는 23개의 감방과 대청이 있었으며 또 하나의 건물에는 6개의 감방 그리고 작은 대청이 있었으며 옥리들을 위한 부속실이 있었다. 당시의 직제를 보면 감옥서 서장 1명, 2명의 간수장看守長 그리고 3명의 주사主事로 구성되어 있었고 그 밑에 30명의 옥리들이 배치되어 있었다.

대청이 있는 큰 곳간을 개조하여 감방을 만들고 바닥은 흙방인데 짚을 깔았고 한 방에 15명을 수용하게 되어 있었으나 이삼십 명씩 집어넣어 겹쳐 눕거나 앉아서 생활해야 할 형편이었다. 게다가 밤에는 빈대와 벼룩 세상이 되어서 한 번 뜯기기 시작하면 잠을 이룰 수 없을 정도였다.

위생 상태 또한 불결하기 짝이 없어 대소변 냄새에 땀 냄새 등이 섞여 숨을 쉴 수 없을 정도였으며 급식 상태 또한 말이 아니었다. 겨우 하루 두 끼 배식을 하는데 그나마 위에서 곡식을 빼돌려 팥을 섞은 밥은 쌀겨 투성이였고 소금 푼 콩나물국 또한 얼굴이 비칠 정도로 멀건했다.

식사시간이 되면 감방 밑에 뚫린 보자기만 한 구멍이 있는데 그 식구통食口筒 문이 열리면 삼십여 명의 죄수들이 서로 먼저 배식을 받으려고 아귀다툼을 하는 바람에 거기서 밀려나 나중에 받으면 콩나물국은 머리통 한두 개가 돌아다니는 정도였다.

그중에서도 모두 견딜 수 없어 한 것이 빈대로부터의 공격이었다. 간수가 감방에 들어왔다가 밖으로 나가면 근지러워 신을 벗어 털어내는데 그때마다 수많은 빈대가 떨어지곤 할 정도였다. 이승만이 옥중에서 남긴 시 가운데는 〈빈대〉란 시도 있다.

빈대蝎

따뜻하면 기운 펴고 차면 오그리고
천장으로 바닥으로 오르내린다
하얀 벽을 돌고 돌아 무늬를 찍고
방바닥을 열어보면 몰키어 있다.

모기와는 촌수가 멀어 혼인 안 되고

벼룩이나 이쯤은 곁방 사촌일세

너의 집은 어찌하여 복이 넘쳐
백 아들 천 손자 대를 잇느냐

이처럼 열악한 환경의 한성감옥에는 350여 명의
죄수가 갇혀 있었다. 그중에는 강도, 절도, 사기범
등도 있었고 살인, 방화 등 흉악범 그리고 잡범들
사이에 이승만을 포함한 30명의 정치범이 투옥되어
있었다.

정치범들은 1900년을 전후해서 갑오경장 실패 후
일본에 망명한 박영효와 유길준 계열의 고종황제
폐위 음모 내지는 군주제 폐지 공화정 수립을 위한
이른바 국제 개혁 음모 사건 그리고 반수구파 척결
음모 사건 혁명일심회 결사단체 등에 연루되어
들어온 국사범國事犯들이 대부분이었다.

옥중에서 이승만과 친밀하게 지낸 인물들 가운데는
1901년 박영효 추대운동을 벌이다가 투옥된
신흥우申興雨. 배재 동창와 1902년 개혁당 사건국제

개혁으로 들어온 이원긍李源兢. 大提學. 독립협회 회원, 이상재李商在. 주미공사 서기. 독립협회 부회장, 유성준俞星濬. 일본 유학. 내부협판. 유길준의 아우, 김정식金貞植 경무관, 홍재기洪在箕. 강계군수. 총리실 비서, 이승인李承仁. 이상재 아들. 부여군수 등도 있었다.

선혜청을 방화하고 폭탄을 투척한 사건으로 들어온 임병길林吉炳. 국군 正尉. 독립협회 간부, 보안회 사건으로 들어온 정순만鄭淳萬. 만민공동회 총무과 박용만朴容萬. 일본 유학. 보안회 회원, 그리고 박영효의 혁명 일심회 사건으로 투옥된 장호익張浩翼. 일본 육사 졸 보병 參尉, 김형섭金亨燮. 일본 육사 졸 보병 參尉 등이 있었고 그 외에도 많았다.

이들 중에서 이미 사형선고를 받고 갇혀 있는 정치범도 11명이나 있었다. 사형수를 독방에 수감하지 않고 일반 범죄자들과 함께 있게 하는 데는 그럴만한 이유가 있었다. 자기가 사형수라는 걸 잠시나마 잊고 살게 하기 위해서였다.

형 집행은 예고 없이 시행했다. 한 달에 두 번 정도 가족 친지 면회가 허락되었는데 그때를 이용하여 끌어내 처형하는 식이었다. 가족이 면회 온 것처럼 알리고 데리고 나가는 것이다. 이승만은 형장으로 끌려가던 사형수의 모습을 잊을 수가 없었다. 남들이 다 잠든 새벽에 불러내어 데리고 나가자 최정식은 알아차렸는지 비장하게 이승만의 방 앞에서 자기가 잘못했던 걸 사죄하고 떠났었다.

그 무섭고 두려운 일이 이곳 한성감옥에서도 일어나고 있었다. 감방 안은 낮이건 밤이건 벽 위에 호롱불 하나가 매달려 있어 옆사람 얼굴이나 겨우 식별할 정도로 늘 어두웠다. 빈대와 싸우던 승만은 언뜻 졸음이 와 눈을 감으려 했다.

바로 그때 울부짖는 소리가 들려왔다. 그 소리는 옥사 뒷마당 쪽에서 들려오고 있었다.

"국모를 왜놈들이 시해하려고 음모를 꾸미고 있다는 걸 알았다면 왜 당당히 고변하지 않았겠느냐? 나는 억울하다. 나는 친일 역적이 아니다! 역적의 누명을 쓰고 가고 싶진 않다. 수구파 대신 놈들이 뒤집어씌운 올가미에 걸린 것이다."

바로 옆에서 들려오는 소리처럼 명료했다.

이승만은 그가 누군지 금방 알았다. 그는 민비시해閔妃弑害 음모 불고지죄不告知罪로 사형선고를 받고 복역 중이던 군국기무처軍國機務處 의원을 지낸 권형진이었다.

1895년 일제는 실권자였던 민비 명성황후가 친러 쪽으로 기울고 일본 세를 축출하려 하자 조선 병탄의 야욕이 꺾일까 봐 눈엣가시였던 민비를 암살하고자 하여 일본공사 미우라가 앞장서서 범궐犯闕하여 천인공노할 범죄를 저질렀다. 뒷날 시해 사건을 수사하게 되어 권형진도 모의 가담자로 조사를 받았다. 권형진이 의심받은 결정적인 사건은 시해 사건이 있고 나서 하수인이었던 일본 낭인浪人들이 몰래 일본으로 돌아갈 때 권형진도 도일했으니 망명이라는 것이었다.

그러면서 시해 음모를 미리 알고 있으면서도 고발하지 않았다 하여 재판을 받고 사형이 확정된 것이다. 그때 뭔가 내려치는 듯한 둔탁한 소리가 났다.

"아악!"

비명이 솟아올랐다. 꺽꺽대는 신음도 이어졌다.

127

칼로 목을 내리친 모양인데 단칼에 목이 베어지지 않았는지 두 번째 치는 소리가 들려왔다. 두 번 다시 신음이 들리지 않았다. 참수형斬首刑으로 끝낸 것이었다.

당시의 처형 상황에 관하여 이승만은 나중 영문 〈자서전 개요〉에서 이렇게 써놓고 있음을 볼 수 있다.

나는 5년 7개월 동안 감옥에 있으면서 형장으로 끌려가는 동료를 너무나도 많이 보았다. 어떤 이들은 형장으로 끌려가면서 마치 내가 그들을 구해줄 수 있는 것처럼 내 이름을 크게 부르곤 했다. 그러나 내가 해줄 수 있는 것은 고작 "가서 평안히 죽으시오!"라고 고함을 질러주는 것뿐이었다. 장호익일본 육사 출신 참위. 혁명 일심회 회원 장군도 우리 감방 바로 뒤에서 참수를 당했다. 그는 세 번째 내려치는 칼 소리가 날 때까지 계속하여 만세를 불렀다. 나는 요즘도 그런 장면이 괴롭혀 잠들면 악몽에 시달린다.

그 뒤에도 사형 집행은 간간 이어졌는데 비명과 단말마 소리는 바로 옆에서 들리는 듯하여 공포감을 자아냈다. 형장이 옥사 뒷마당에 있어서였다. 그때마다 이승만은 성경을 꺼내 들고 기도를 드리며 마음의 평정을 찾고 큰 소리로 성경을 읽었다. 경무청 미결감에 있을 때 이승만은 죽음의 공포 속에서 하나님을 찾았고 기독교를 받아들이기로 했다. 그런 뒤 어느 날 면회 온 친구 이익채에게 부탁했었다.

"제중원에 가서 애비슨 원장께 내 말 좀 전해주게."

"무슨 말을 말이야? 얘기해."

"영어로 된 성경책하고 일영사전 한 권 비밀리에 차입해 주시라고 말이야."

"알았네. 더 필요한 건 없나?"

"없어."

그 뒤 삼 일이 지나서 벽안의 처녀 하나가 면회를 왔다.

"안녕하세요?"

"누구시죠?"

"전 이번에 캐나다에서 온 선교사 겸 의사인 미스 헤로이드Harroyd입니다. 제중병원에서 근무하기로 했지요. 애비슨 원장님이 보내서 왔습니다."

그러면서 주변을 살폈다. 면회실을 지키고 있던 옥리가 울 밖에 있던 다른 옥리에게서 뭔가 받을 게 있었던지 상체를 밖으로 빼어 팔을 내밀고 있었다. 그 틈을 이용하여 헤로이드 양은 들고 있던 큰 핸드백에서 작은 책자 두 권을 이승만에게 전했다. 승만은 재빨리 가슴 속에 넣었다.

"부탁하신 세탁물은 영치領置했으니까 나중에 옥리가 가져다주신다고 했어요."

"고맙습니다. 돌아가시면 닥터 화이팅과 재콥슨 양께 안부 전해주십시오."

"그렇지 않아도 저와 함께 오려고 했는데 병원 일이 많아 저만 왔습니다."

헤로이드 양이 가져다준 영어 성경은 포켓판 〈신약전서〉였는데 애비슨 원장의 말을 듣고 선교사 셔우드 에디 박사가 작은 영일사전과 함께 보내준 것이었다.

이승만은 나중 자신이 냉담해하고 싫어했던 기독교에 개종하게 된 경위에 대하여 〈투옥경위서Mr Rhee's story of his Imprisonment〉라는 영문 저서에서 이렇게 고백하고 있다.

나는 감방에서 혼자 있는 시간이면 그 성경을 읽었다. 그런데 배재학당에 다닐 때는 그 책이 나에게 아무런 의미가 없었는데 이제 그것이 나에게 깊은 관심 거리가 되었다. 어느 날 나는 배재학당에서 어느 선교 사가 하나님께 기도하면 하나님께서 그 기도에 응답해 주신다고 하던 말이 생각났다. 그래서 나는 평생 처음 으로 감방에서 "오, 하나님. 나의 영혼을 구해주시 옵소서. 오, 하나님. 우리나라를 구해주시옵소서"라고 기도했다. 그랬더니 감방이 빛으로 가득 차는 것 같았고 나의 마음에 기쁨이 넘치는 평안함이 깃들면서 나는 완전히 변화받은 사람이 되었다. 동시에 그때까지 가지고 있던 외국의 선교사와 그들의 종교에 갖고 있던 증오감과 편견, 불신감이 사라졌다.

이승만이 성경을 읽을 때는 영문을 우리말로 옮겨서 큰 소리로 낭독했다. 비좁은 방에는 삼십여 명이 붙어 앉아 있고 감옥살이를 하다 보니 무료하고 짜증 나고 그래서 멀거니 모두 앉아 있는 게 보통인데 이승만이 큰 소리로 성경을 읽어주니 처음에는 거부감을 보였지만 그마저 재미를 붙여 모두 죽은 듯 조용하게 경청하곤 했다.

물론 성경을 읽는 데는 어려움도 따랐다. 감방 안에서는 금지하고 있기 때문이었다. 그래서 성경을 읽으려면 울 기둥 옆에 망꾼 두어 명을 배치했다. 그들은 간수가 오는지 안 오는지 망을 봐야 했기 때문이다. 또 이승만 옆자리에는 죄수 하나가 대기하고 있다가 한 페이지를 다 읽어 장수를 넘기려면 재빨리 책장을 넘겨주어야 했다. 왜냐하면 대꼬챙이 산적 고문을 받아 그때까지도 손가락이 마비되어 자유롭지 못했기 때문이었다.

한편 감옥 밖에서는 아버지 경선공이 아들의 감형 減刑 내지는 석방을 위해 계속해서 힘쓰고 있었다. 석방운동은 그의 부친뿐만 아니라 그의 은사인 아펜젤러와 벙커 선교사 그리고 제중원 원장 애비슨, 언더우드 내외 그리고 일곱 살 어린 시절 마마 때문에 실명할 뻔했던 눈을 밝게 고쳐주었던 닥터 알렌알렌은 나중에 주한 미국공사가 되었다 등이었다. 내년이 되는 1901년 9월 7일이면 고종황제 탄신

50주년이 되는 해였다. 탄신일은 경축일이어서 대대적인 특사령特赦令이 예정되어 있었다. 흉악범을 제외하고는 거의 특사를 받아 석방되는 것이다. 그 특사령에 모두 기대를 걸고 있었다.

옥중에서도 이승만은 직접 중추원이 탄생했을 때 그 의장직을 맡았고 법무 대신을 지낸, 전 포도대장 출신의 한규설韓圭卨에게 여러 차례 밀서를 보내고 답서를 받기도 했다. 밀서 전달은 아버지 경선공이었다. 석방에 적극 협조를 해달라는 내용의 밀서였다. 한규설은 1885년 포도대장 시절 미국 유학 중 소환당한 유길준을 연금 감시하라는 특명을 받았었다. 유길준을 존경했던 한규설은 그를 자기 집 사랑에 연금하여 우대하거나 아니면 경복궁 근처의 요정이었던 취운정에 연금하여 보살펴주었다.

그는 또한 1898년 박정양, 민영환 개혁내각이 들어서서 중추원을 창립했을 때 그 의장직을 맡았고 이어서 17인 독립협회 간부들이 체포되었을 때 그들을 석방하는 데 큰 역할을 한 법무대신이었다. 한규설은 고종 측근의 친미파 내지는 정동파로서 독립협회 운동을 지원하던 세도가 중 하나였다. 한규설은 누구보다 이승만의 그릇을 알아보고 장차 가장 촉망받을 젊은 지도자로 평가하고 있었다.

당시 그의 답장을 보면 구속 석방을 좌지우지할 수 있는 권좌에서 밀려나 그즈음은 휴식하고 있어 적극성을 보이는 데는 한계가 있음을 나타내고 있다. 한규설의 직접적인 도움을 받은 것은 일단 편한 감옥 생활, 특별대우를 받는 감옥 생활을 할 수 있게 되었다는 점이다.

9. 쥐구멍의 별

이승만이 한성감옥에 이감되던 그해 2월이 되자 감옥서장이 바뀌게 되었다. 새로 부임한 서장은 김영선金英善. 通政大夫 從三品. 主任官이었다. 김영선은 엄비의 총애를 받던 의정부 관리 출신으로 엄비를 따라 개방적인 사고를 하는 신지식인 중 하나였다. 엄비는 훗날 연희전문을 설립한 선교사 언더우드 박사의 부인 릴리어스와도 친밀하게 지낼 만큼 개방적인 왕비였다.

그녀는 이승만이 〈매일신문〉에 논설을 쓰기 시작하여 〈제국신문〉으로 필봉을 옮겼을 때까지도 열심히 그의 논설을 찾아 읽는 열성적인 애독자였다. 이승만은 직접 그녀를 만난 적은 없었지만, 그녀는 이승만을 좋아하고 존경하여 끝까지 그의 활동을 음조陰助했던 여인이었다.

방금 서찰을 받고 보니 감사하외다. 이르는 곳마다 감내하기 어렵다 하셨는데 말해 무엇하겠습니까. 말씀하신 일은 잘 살폈습니다. 그저 걱정될 뿐입니다. 부디 마음을 편안히 가지시고 병을 얻지 않도록 하시기만 빕니다. 서장監獄署長은 만날 때마다 부탁했으니 그만하면 잘 헤아릴 줄 믿고 있습니다.

이 답장은 한규설이 이승만에게 보낸 것이다. 만날 때마다 잘 보살펴주라고 부탁을 했다는 감옥서장은 새로 부임한 김영선을 지칭하는 것이다. 그래서일까. 이승만의 감방은 더 깨끗하고 조금은 넉넉한 곳으로 당장 옮겨졌다. 그리고 새 서장 김영선은 이승만을 독대獨對 접견한 자리에서 파격적인 은혜를 베풀었다.

"비엄비마마나 한 의장한규설 각하의 당부가 아니라도 이승만 씨는 내가 보살펴드려야 한다는 생각을 하고 있었습니다. 나도 이승만 씨의 성가가 높다는 걸 잘 알고 또 평소 존경하고 있었습니다. 그리고 지금은 부당한 영어囹圄 생활을 하고 계시다는 것도 잘 압니다."

"고마운 말씀을 어떻게 드려야 할지 모르겠군요."

"지내시기 어려운 점 있으면 그때그때 말씀하시고 부탁이 있으면 항상 말씀하십시오. 우선 옥중에서의 독서는 자유롭게 하셔도 됩니다. 그리고 외부에서 들여오는 서적은 뭐든 허용하겠습니다. 그리고 비마마 말씀이 요즘에는 〈제국신문〉 논설을 읽지 못해 안타깝다 하셨습니다. 논설 집필도 계속할 수 있는 방도를 생각하십시오."

이승만은 꿈을 꾸고 있는 게 아닌가 하는 생각이 들 정도였다. 그야말로 파격 자체였다. 감방에서의 독서는 금지되어 있었고 각종 서적 반입 또한 금지되어 있었다. 그 모든 것을 허용한다 하지 않는가.

게다가 그동안 옥살이하면서 쉬고 있던 신문 논설을 계속 쓸 수 없느냐 하니 가슴이 벅찰 지경이었다.

"고맙습니다, 서장님. 은혜 잊지 않겠습니다. 신문 논설은 계속 집필하겠으나 본명으로는 낼 수 없습니다. 가명을 쓰겠습니다."

"그러십시오. 그리고 듣자 하니 부친께서 어렵게 생활하시고 계시단 말 들었습니다."

"저는 감옥에 투옥되는 바람에 어머니 임종도 못 했습니다. 평생 후회할 불효입니다."

"그럼 혼자 되신 부친은 며느님이 모시고 있는 모양 이군요?"

"아내가 고생하고 있지요."

"우리 감옥서에서 생필품을 조금 내어 가끔 도와드릴 겁니다. 쌀이나 장작 같은 거지요."

"아닙니다. 절대 그러실 필요 없습니다. 지금 호의로도 충분합니다."

김영선은 약조를 지켰다. 서적 반입과 독서, 그리고 논설 집필 등을 허용하고 가끔 이승만의 사가私家에 쌀가마가 전해졌다.

이승만이 한성감옥에 투옥당한 것은 25세 때였고 석방된 것은 5년 7개월 후였으니 30세 때였다. 인생에서 가장 중요한 청년 시기를 밀폐된 감옥에서 억압 속에 고난의 세월을 산 것이다. 하지만 그는 절대 허송세월하지 않았다.

감옥 안에서 폭넓은 독서를 하고 〈독립정신〉 등 많은 저서를 저술했고 〈제국신문〉을 통하여 익명으로 논설을 발표하여 자유와 평등 민주사상을 고취하고 계몽하는 일에 전심을 다했다. 군주제를 폐지하고 공화정을 이뤄야 한다는 것과 국체國體를 보전하고 자주독립을 유지하려면 국제외교가 가장 중요하다며 외교론을 세웠고 기독교 신앙을 받아들여 양반 계층에서는 최초의 기독교인이 되기도 했다.

그리고 그는 신학문을 독학하여 정치, 경제, 문화 전반에 걸쳐 전문적 식견을 가지고 독특한 이승만식 정치사상과 이론을 정립시켰다. 그의 학구열은 무서웠다. 배재학당에 입학하고자 했을 때 그는 새 시대에 필요할지 모르니 영어나 배워볼까 해서 갔다고 회상했다. 그는 재학 중에 이미 자유롭게 의사소통을 할 수 있는 실력이 되었었다.

그는 영어를 완전히 정복하기 위해 영어 성경을 암송했고 일본어로 된 영어사전을 모조리 암기하려 했다. 게다가 그의 스승 아펜젤러는 당시 뉴욕에서 간행되던 초교파 주간신문이었던 〈아웃 룩Outlook〉을 넣어주었고 역시 은사 벙커는 월간지 〈인디펜던트 Inde-pendent〉를 넣어주었다.

이승만은 그러한 잡지에서 아예 문장 구문文章構文을 뽑아 마치 천자문을 외우듯 처음부터 다 외워버렸다. 따라서 그의 영어 실력은 일취월장하여 외국인 선교사들을 놀라게 하였다. 그를 도와주고 석방하려고 노력한 그룹 중에서 가장 폭넓게 애를 쓴 사람들은 미국 선교사들이었다.

왜 그들은 적극적으로 이승만 구명운동에 앞장서고 관심을 기울였을까.

고종 탄신 50주년을 경축하는 만수절萬壽節에는 거의 모든 죄수를 사면해 석방한다고 발표했고 1901년 9월 7일이 되어 흉악범을 제외한 모든 죄수가 사면되어 석방되었는데 이승만은 그 대상에서 제외되었다.

이런 결과는 본인에게는 물론 그의 석방을 위해 애써 온 사람들에게 심한 실망감을 가져다주었다. 특히 선교사 그룹에게는 더했다. 황제 스스로 사석에서 가까운 시일 안에 이승만을 석방해주겠다고 언더우드에게 전하라며 긍정적인 의사를 내비쳤다고 내부협판內部協辦이던 이봉래李鳳來가 얘기한 적이 있었기에 실망감이 더 컸다. 이에 선교사들은 연명連名으로 이봉래에게 탄원서를 제출했다. 이봉래가 전한 얘기이니 책임지고 해결해달라는 압력이었다. 이봉래는 궁 안에서 영향력이 큰 인물이었다.

탄원서에 연기명한 선교사들은 이승만의 스승이 었던 아펜젤러, 애비슨, 벙커, 허버트, 게일 등 5명 이었다. 그러나 그 탄원서는 아무런 힘도 발휘하지 못했다. 하지만 이승만을 위해 그들이 보인 헌신적인 협조는 특별한 것이었다.

이승만이 만수절 특사에서는 제외되었지만 형기가 무기징역에서 10년 유기징역형으로 감형되었다든지 감옥에서의 남들과 다른 특전을 누리며 수형 생활을 할 수 있었던 것은 김영선 서장의 힘이 막대했지만,

그들 선교사의 힘도 무시하지 못했다.

당시 미국이나 캐나다의 북장로회나 남장로회 혹은 감리회 등에서 외국으로 파송하는 선교사들에게는 선교나 교육사업 혹은 의료사업 등 본연의 업무 이외 해당 국가의 내정內政에는 절대 간섭하지 못하게 되어 있었다. 이는 본국 정부가 주한 미국공사관에 내린 훈령이기도 했다.

따라서 이승만의 구명을 위해 선교사들이 연명으로 탄원서를 제출하거나 실력자들을 만나고 다니는 행위는 위법이었다. 위법이란 걸 알면서 이승만을 도운 것은 이승만을 그만큼 새 시대를 이끌어나갈 젊은 지도자로 평가하고 있었다는 방증이기도 했다.

한국에 파송되어 온 선교사들은 모두 30살 안팎의 젊은이들로 그것도 명문 대학에서 교육을 마친 엘리트들이었다. 그들의 눈으로 볼 때 그 당시 지도층에는 이승만처럼 참신하고 출중한 인재가 없었다.

기독교 선교 사업은 현지의 유능한 협력자 없이는 불가능한 일이라서 그를 지원하여 신앙 안에서 양육

되면 큰일을 해낼 수 있는 사람이라 기대한 결과였고, 한편으로는 어둡고 뒤떨어진 한국의 미래를 변화 발전되도록 하려면 이승만 같은 인재가 필요하다고 본 것이다. 어쨌든 이승만의 조기 석방은 수포로 돌아갔다. 이 시기 옥중에서 쓴 이승만의 편지를 보면 대사면령이 내렸을 때는 기대에 부풀었지만, 그것이 없었던 일이 되어버리자 빨리 체념하고 독서를 하거나 시를 지으며 성경 공부에 열중하여 평안을 얻고 있다고 알렌 공사에게 보낸 편지에서 술회하고 있음을 볼 수 있다.

그의 독서량은 대단했고 특히 어학 실력은 놀라운 진전을 보이기 시작했다. 이승만의 학구열과 독서 실태가 어떠했는가는 그의 배재 동기이며 옥중 동지이던 신흥우가 남긴 글을 보면 잘 드러나 있다.

글을 쓸 수 있는 그 무엇이나 책 등은 일절 들어오지 못하게 되어 있었으나 간수들은 우리가 하는 일을 묵인해주었다. (이때는 이미 이승만에게 감옥 서장인 김영선이 은혜를 베풀고 있을 때였다.) 이승만은 아펜젤러와 벙커 선생이 차입해준 일영사전日映辭典과 영문 잡지 〈아웃룩〉, 〈인디펜던트〉를 받아보고 있었다.

죄수들에게 한 자쯤 되는 항아리를 사물로 주었는데 우남은 몰래 들여온 양초를 항아리 안에 켜놓고 공부를 했다. 간수들이 오는 기척이 들리면 재빨리 항아리를 벽 쪽으로 돌려놓아 불빛이 새나오지 않게 하곤 하며 영어를 공부했다. 미국 잡지들이 교과서였다.

그는 붉은 물감도 몰래 들여와서 잉크 삼아 낡은 잡지에 서예 연습도 했다. 그는 눈을 감고도 영어 문장들을 줄줄 외웠으며 사전에 있는 영어 단어를 모조리 외우는 것이었다.

몇 년이 지난 후 감옥에서 석방되어 미국으로 유학을 떠난 이승만이 5년 동안에 조지워싱턴 대학, 하버드 대학, 프린스턴 대학 등 명문 대학을 차례로 다니며 석사, 철학박사를 받은 사실을 보면 그의 실력이 어느 정도였을까 미루어 짐작할 수 있다.

이승만은 조기 석방이 불가능하다는 걸 알고 마음을 정리해 옥중에서 할 일을 찾았다. 마침 1902년이 되자 새로운 옥중 동지들이 들어왔다. 이원금, 이상재, 유성준 등이 입감했던 것이다. 이들은 동경에 망명 중인 유길준, 박영효 등의 지령을 받고 민영환, 박정양 등을 포섭하여 군주제에서 입헌공화제로 국체를 개혁해야 한다고 모의를 하다가 체포된 이른바 '개혁파'들이었다.

이승만과 함께 지내던 다른 동지들도 아침저녁으로 소리 내어 읽는 성경 낭독을 듣고 점차 흥미를 보이다가 이승만과 기독교가 무엇이며 예수는 누구인가에 대하여 궁금하다며 토론을 벌였다. 그런데 새로 들어온 동지들이 그 광경을 보고 처음에는 거부감을 보였으나 그들도 흥미를 보이며 토론에 참가했다. 기독교에 대해서는 신흥우를 비롯한 배재학당 출신들은 잘 알고 있었지만 다른 사람들은 잘 알지 못했다. 옥중 동지들은 이승만이 왜 갑자기 기독교로 개종했는지 그 이유를 듣고 싶어 했다.

"기독교 학교배재학당에 다니고 선교사들과 친하게 지냈으면서도 기독교에 귀의하지는 않았지 않소? 무엇 때문에 믿게 된 거요?"

"미국 선교사들이 이 땅에 들어왔을 때 우리는 그들이 맨 먼저 하와이 땅에 들어가 어떻게 원주민들을 개종시키고 괴롭혔는지 알기 시작했었소. 선교사들로 하여금 기독교로 원주민 정신을 마비시키고 뒤이어 기업가들이 따라와 원주민을 착취하여 치부하고 하와이가 국력이 약해지자 미국은 곧바로 병탄하여 속국으로 만들었소. 미국 선교사들이 우리나라에 들어 왔을 때 우리도 하와이 운명이 될 거로 생각하고 우려한 사람은 나뿐이 아닐 겁니다. 장차 우리 한국도 미국이 자국 영토로 병탄할 것이고 그래서 선교사들은 미국 정부가 보낸 앞잡이들이라고 간주했던 것입니다."

"그럼 그게 아니란 겁니까?"

"이곳 감옥에 이감 오기 전 난 경무청 미결감에 있었습니다. 온갖 고문, 악형을 다 당하고 올무에 걸려 상처투성이가 된 짐승처럼 헛간 같은 감방에 버려졌을 때 난 지옥이 있다면 바로 이런 곳을 두고 말하는 거로구나 라고 생각하고 치를 떨었소. 게다가 낮과 밤을 가리지 않고 좌우 사방의 감방에서 사형선고를 받은 죄수들이 형장으로 끌려나가며 울부짖는데 마치 다음은 내 차례인 것 같아 숨이 막혔습니다. 이 암흑의 지옥에서 살 수만 있다면 지푸라기 한 가닥이라도 잡고 싶었습니다. 바로 그때 배재학당 예배실 벽에 걸려 있던 예수님의 모습이 보였습니다. 그분의 미소는 한낮의 해처럼 밝게 빛나며 순식간에 감방 안을 빛으로 가득 채웠소이다. 나는 엎드리며 '주여! 용서하여주옵소서. 그리고 날 구원해주시옵소서'라고 흐느껴 울며 부르짖었습니다. 그 순간부터 모든 어둠이 사라지고 마음이 평온해지며 알 수 없는 행복감이 채워지기 시작했습니다."

"정말이오? 행복감이라니 그럴 리가?"

"하나님은, 예수님은 나 대신 무거운 내 짐을 힘겹게 등에 지고 가시고 계셨습니다. 날 구원해줄 그런 분이 항상 곁에 있는데 행복하지 않을 수 있소?"

"신기하군요. 개인이 구원을 받으면 행복해진다는 말씀은 이해가 가오만, 우리가 결신決信했을 때 장차 이 나라가 얻을 수 있는 건 무엇이라 보시오?"

"미국 선교사들이 들어와 전도한다고 해서 우리

147

나라도 하와이 재판再版이 될 것이라는 편견은 완전히 불식해도 좋다고 봅니다. 기독교는 이신칭의 以信稱義, 즉 믿음으로 의에 이르는 부활, 영생 구원의 사해만민지교四海萬民之敎 올시다. 그 속에는 자유와 평등과 박애博愛가 다 들어 있습니다. 우리 민족처럼 개인주의적이고 허례를 지키며 단합을 못 하는 민족도 없습니다. 기독교 정신으로 한국 민족을 정신적으로나 도덕적으로 새롭게 거듭 태어나게 하고 민주 자유국가가 되어 모든 백성이 억압받지 않고 살며 자력자강自力自彊한 나라가 되게 만들어야 합니다. 그러는 데 필요한 종교입니다.”

이승만의 기독교 개종에 관한 이야기를 듣고 동지들은 토론을 계속하다가 그렇다면 일단 예수를 믿어 보기로 했다. 이후부터 감옥 안에서는 성경 공부와 신학 연구神學研究, 토론 등이 활발해졌고 감옥 밖에서 때때로 이승만의 은사인 아펜젤러와 벙커, 언더우드 등의 선교사들이 찾아와 가르침을 주고 학습세례를 받아 신자들이 늘어났다.

10. 감옥학교와 도서실

　이들은 성경 공부뿐 아니라 기독교 서적을 돌려 읽고 토론도 하고 예배도 드렸다.

　예배는 종교의식이기도 해서 세리머니가 필요했다. 신에 대한 찬양, 찬송, 성경 봉독 그리고 말씀說敎을 전하고 목자牧者의 축복기도로 마치게 되어 있었다. 설교하고 축도祝禱할 수 있는 자는 기름 부은 자인 목회자가 해야 한다.

　하지만 감옥에는 목사가 없었다. 그 같은 사역使役

은 이승만이 대신 담당하였다. 어찌 됐든 이승만이 5년 반 동안 옥살이를 하면서 자기 영향으로 기독교로 개종시킨 이른바 양반계층의 지식인 죄수들은 40여 명에 이르렀다고 훗날 회고했다.

그중에 특이한 경우는 한성감옥의 간수장看守長인 이중진, 이중혁 형제도 들어 있었다. 이때까지 양반계층의 지식인들이 개신교에 입교한 예는 없었다. 이승만이 최초였고 그의 전도에 따라 수십 명의 지식인이 집단으로 입교한 것은 한국 교회사에 중요한 사건이 아닐 수 없다.

당시 개종한 인물 중에는 개혁당 사건으로 들어온 대제학 이원긍, 주미공사 서기 월남 이상재, 강계군수 홍재기, 유길준의 동생 내부협판 유성준, 경무관 김정식, 파주군수 조종만, 관찰사 박승봉, 배재학당 출신 신흥우, 이상재의 아들인 부여군수 이승인 등이었다.

이들은 1904년 러일전쟁이 시작되던 해부터 석방이 되어 출소하게 되었다. 그들을 모두 맞이한 교회는 미국 선교사 게일J. S. Gale이 목사로 있던 서울 연동蓮洞교회였다. 여기서부터 그들은 각자 소임을 얻어 흩어져 봉사했다. 이원긍과 조종만은 묘동 교회로, 이상재는 윤치호, 신흥우와 함께 중앙 기독교 청년회로, 유성준과 박승봉은 안국동 교회로, 김정식은 동경 기독교 청년회로 갔다.

　게다가 이승만은 틈날 때마다 체계적인 독서를 해서 한문 서적은 청일전쟁사인 〈중동전기中東戰紀〉를 비롯하여 21권을 독파하고 영문 서적은 〈신약 성경〉과 〈천로역정〉을 비롯하여 19권을 독파했다. 게다가 비록 옥중에 갇혀 있었지만 5종류의 영어 신문을 계속 구독하고 14종류의 영문 잡지를 구독하고 있었다.

　신문의 종류는 〈The Independent〉지, 〈London Times〉지, 〈North Chinese Herald〉지, 〈Japan Tribune〉지, 〈Cobe Chronicle〉지 등이었다. 그것만 봐도 당시 이승만은 비록 몸은 감옥에 있었지만 국내 사정은 물론이요, 국외 국제사회 전반에 대한 폭넓은 지식을 갖추고 있음을 알 수 있다.

　옥중에서 그는 독서뿐 아니라 저술 활동도 의욕

적으로 벌이고 있었다. 중단하고 있던 〈제국신문〉 논설을 다시 써서 몰래 감옥 밖으로 내보내어 익명으로 신문에 실었다. 익명이었지만 그의 독자들은 당장 알아보고 애독했다.

이승만이 옥중에서 가장 시급하다고 생각하여 집필하기 시작한 3권의 저서는 〈청일전기淸日戰紀〉와 〈신영한사전新英韓辭典〉, 〈독립정신獨立精神〉 등이었다. 〈청일전기〉는 원래 채이강과 알렌의 공저인 〈중동전기〉로서 청나라와 일본 간에 있었던 청일전쟁 전말을 기록한 전기인 바 이승만은 우리 국민이 필독해야 할 책이라며 한국어로 번역한 것이었다.

〈신 영한사전〉은 본인이 영어 공부를 하면서도 우리말 사전이 없어 일본어로 된 일영사전으로 공부하는 불편을 겪었기 때문에 한글판 영한한사전英韓漢辭典을 만들어야겠다 생각하고 의욕적으로 시작했다. 하지만 시작한 지 몇 달 안 되어 사전 편찬 작업은 안타깝게도 중단이 되고 말았다.

러일전쟁이 발발했던 것이다. 사전 작업보다 더 시급한 것은 〈독립정신〉 책자의 저술이라는 생각 때문이었다. 그가 독립정신이란 글을 쓰게 된 동기는 평소 신문에 여러 논설을 게재하면서 조야朝野 나의 국민에게 독립정신이 무엇이며 왜 필요한지 계몽하기 위해 책으로 써보아야겠다는 생각이 있었는데, 마침 옥중 동지였던 유성준이 이승만의 뜻에 동조하여 당장 시작하여 독자들에게 읽혀야 한다고 서두르는 바람에 글을 쓰게 되었다.

이승만의 〈자서전 개요〉에 보면 그때 사정을 다음과 같이 기록하고 있다.

유성준이 나더러 책을 쓰라고 권했다. 우리나라에서 지금까지 개혁 운동이 실패한 원인은 독립협회를 제외하고는 지도자들이 민중을 지속해서 지도 계몽할 생각을 안 가지고 있었기 때문이다. 이 책이야말로 민중 지도 계몽서가 될 것이다. 일본에 망명 중인 우리 형님俞吉濬이 귀국하게 되면 독립운동에 관한 여론을 일으키기 위해서라도 정부 예산을 책정케 하여 책을 발간하겠다고 했다.

153

원고는 시작 4개월 만에 탈고했는데 유성준의 말
처럼 곧바로 출간되지는 못했다. 국내 사정이 더
어려워져 그 원고는 감옥 밖으로 비밀리에 보내져서
이승만의 친구인 박용만이 미국으로 갈 때 가져다가
5년 만에 미국에서 햇빛을 보게 되었다. 박용만은
들키지 않기 위해 그 원고를 트렁크 밑바닥에 깐 채
숨겨서 겨우 무사히 가지고 나갔다.

이승만의 저서 〈독립정신〉은 장차 봉건 쇄국왕국인
한국이 어떤 정치 형태와 어떤 세계적 시야를 가져야
새로운 독립국이 될 수 있는지를 전 51장 295페이
지에 걸쳐 당당하게 자신의 주장과 사상을 펼친 역저
力著였다. 이 책을 집필했을 때의 이승만 나이는 30세
였다. 30세의 젊은 지성이 내건 자신의 정치사상은
이후 광복 후 대통령이 될 때까지 초지일관한 주장이
되었다. 출판 후 영문으로 된 서평을 보면 다음과
같다.

**이 책의 주요 목적은 동포들에게 서양 세계에서
강하게 발달한 민주주의 원칙을 가르치고 그들의**

마음속에 미국 독립전쟁을 예로 들어 주권국가로서의 독립정신을 촉발시키자는 것이었다. 절대주의絶對主義는 자기 민족의 독립에 절대적 해가 된다는 사실을 저자는 분명히 하고 있다. 부패 무능한 왕조가 자행하는 폭군적 탄압은 민란民亂을 초래하며 이러한 민란은 급기야 외세의 개입을 자초하기 마련이다. 민족의 멸망을 예방하기 위해서는 절대군주제 대신 인민들에게 일정한 정치적 자유를 허용하는 입헌주의立憲主義 정부를 도입할 필요가 있다. (문양목 書評 중에서)

한편 여러 가지로 편의를 봐주던 한성감옥 서장 김영선은 뭐든 도와줄 일이 있으면 언제든 얘기하라 했다. 이승만은 서장에게 열악하고 후진성을 면하지 못하고 있는 감옥의 실태를 논하고 인권을 보장하는 옥정개선책獄政改善策을 건의했다. 그런 다음 죄수들의 선도 교육을 위한 옥중학교를 만들고 싶은데 가능하다면 도와달라 청했다.

작년 겨울부터 다행히 각하께서 이 감옥서에 부임하

셔서 무릇 전일에 속박했던 여러 불미한 절차들을 개선하고 사람들의 마음을 보살펴주시고 편안함을 얻게 하여 주셨습니다. 또 급식도 많아지고 좋아져서 전일에 비하면 크게 차이가 있으니 이는 재수자在囚者들의 홍복이 아닐 수 없습니다. 이 모든 것들은 각하의 은덕이라 생각하옵니다. 또한 죄송하오나 청컨대 옥중에 재수자를 위한 학교를 세워주셨으면 합니다. 학문에 뜻을 둔 사람들을 한곳에 모아 수업을 받게 하고 다른 여러 재수자들은 개과천선의 길을 열어주기 위한 교육을 했으면 하옵니다. 옥중학교는 방 한 칸이면 됩니다. 그리고 옥방에 등불을 켜는 것을 허락하여주십시오. 학교 운영비 일체는 저희가 자력으로 감당하겠습니다.

(이승만 〈옥중잡기〉에서)

김영선은 이승만의 청을 들어주었다. 감옥 안은 가히 혁명적인 변화가 일어났다. 굴속 같던 감방 두 곳이 깨끗하게 치워지고 강의실이 되었으며 무엇보다 놀랄 일은 칼을 쓰고 착고를 매단 채 묶여 살던 죄수들이 그 형구들을 벗고 자유롭게 공부를 할 수 있게 되었다는 사실이었다.

6개월이 지나자 무식한 죄수들도 한글을 모두 깨치고 원하는 대로 일어와 영어도 배우게 되었다. 또 다른 방은 학문하던 선비 재수자들의 학방學房이었다. 여기서는 성경, 국사, 지리, 산수, 윤리, 세계역사, 회의 진행법, 토론법 그리고 영어와 문법, 일어 등 외국어도 가르쳤다.

강사는 3명이었다. 이승만을 비롯하여 신흥우 그리고 양의종梁宜宗이었다. 이 중에서 양의종은 언론인으로 여러 신문에 논설문을 써서 유명해졌던 양기탁梁起鐸이었다. 시일이 지날수록 감옥 학교는 내실 있게 성장을 거듭하기 시작했다. 그러자 옥 안에 있는 학생들의 독서열이 일어나 비치된 서적이 태부족하게 되었다. 이승만은 서장 김영선에게 도서실을 만들어 운영하겠다는 승낙을 받고 바깥에 소문을 냈다.

그러자 '대한성서공회'에서 지폐 50원을 보조 지원하겠다고 약속했다. 이 돈으로 도서실 책장을 만들고 각종 도서를 기증받기로 했다. 외국 신문에

까지 기사가 나가자 일본에서, 상해에서까지 선교사들이 현지 책들을 보내왔다.

도서실 책임은 이상재의 아들인 이승인 군수에게 맡겼다. 서적 대출부 정리도 그의 할 일이었다. 지금도 남아 있는 대출부에 의하면 처음에는 250여 권이었던 것이 1년도 안 되어 523권으로 불어났다. 개관일에서 7개월이 지날 때 한 번 이상 책을 빌려 본 사람은 229명에 다다랐고 그 기간에 대출된 도서의 수는 2020권이었다.

도서 대출자들은 이승만을 비롯한 옥중 동지들 그리고 감옥서장, 간수장, 옥리들, 순검 등 다양했다.

책들의 종류를 보면

1. 성경과 기독교 관련 서적들
2. 한국사, 동양사, 세계사와 전기류傳記類
3. 세계 지리서
4. 국제법 관련 서적
5. 중국淸末의 정치, 사회, 개혁 관련 서적

이들은 거의 한문 서적이거나 영문 서적이 대부

분이었고 한글 서적도 다수 있었다. 이 한성감옥 도서실은 1900년 초 우리나라에 있던 공사립 도서관 중 가장 알찬 도서관 구실을 했으며 비록 국립도서관인 집옥재集玉齋에 소장된 도서의 숫자에는 미치지 못했지만 질적인 면에서는 귀중하고 양질의 도서를 골고루 갖추고 있었다는 데 그 의미가 크다 할 수 있다.

이 도서실의 서적을 읽고 이상재나 양기탁, 유성준, 신흥우, 이원긍, 김정식 등 지식인 선비들이 개화기의 지도자 수업을 하여 나중 큰 빛을 발하게 되었다는 것은 놀랄 일이었다. 하지만 호사다마였다. 옥중학교와 도서실이 활성화되어갈 무렵, 감방 안에는 병마가 찾아들었다. 학생 죄수 중 하나가 몸이 펄펄 끓도록 고열에 시달리며 쓰러져 누웠던 것이다.

"옥리를 불러 병감으로 옮깁시다. 치료를 받아야 합니다."

옥리에게 긴급 환자가 발생했다는 사실을 알렸다.

"빨리 병감으로 옮기시오."

병자가 병감으로 갔다. 병감에는 의원 한 명이

있었다. 급히 치료를 받았지만, 차도가 없었다. 물
한 모금만 마셔도 토하고 설사를 했다. 병자는 심한
탈수증으로 게다가 고열에 시달리며 의식불명 상태가
되어버렸다.

이튿날 아침이 되자 이승만은 병자의 용태가 궁금
하다며 다가온 옥리에게 물었다.

"병자는 우선해졌습니까?"

"간밤에 죽었답니다."

"뭐요? 죽다니? 무슨 병이었지요?"

"의원 얘기로는 호열자랍니다."

"호열자?"

모두 소스라치게 놀랐다. 염병, 호열자에는 약도
없다는 전염병이었다. 호열자는 법정 전염병인
콜레라였다. 그렇잖아도 도성 안은 호열자의 창궐로
많은 사람이 죽어나가고 있었던 것이다. 그 병이
드디어 감옥 안까지 침입한 것이다.

"약도 없어, 손 놓고 있다가 당하는 거 아닐까?"

걱정되어 신흥우가 이승만을 바라보며 말했다.

"큰일이군. 병자가 또 발생하지 말란 법도 없는데

속수무책이니 말이야.”

“감옥서장을 면회하자 하게.”

“면회해서 뭘 하게?”

“서양 의사들을 부르고 서양 약을 들여와야 하잖나?”

“그렇구먼.”

이승만은 곧 김영선 서장을 만나 그 뜻을 전했다. 서장도 보고를 받고 있었던지 얼굴이 굳어 있었다.

“큰일입니다. 이미 하나가 발생했으니 환자는 당장 집단으로 발생하고 전염이 될 텐데, 그리되면 옥 전체가 무덤이 되고 말 것 같소. 어찌하면 좋겠소? 우남!”

서장이 오히려 이승만에게 상의했다.

“사람을 시켜 제중원으로 보내시고 애비슨 원장님이 오셨으면 하고 제가 부탁한다고 전해주십시오.”

“그럽시다.”

얼마 안 되어 인력거를 탄 애비슨 원장이 양의사 화이팅 양과 함께 감옥에 도착했다.

“감방 내부 그리고 사람들도 모두 소독을 해야 하니

내 지시에 따르도록 하시오."

애비슨은 이승만의 통역으로 의사를 전달하며 노련한 솜씨로 소독약을 감옥 안 구석구석 그리고 사람들의 몸 안 구석구석까지 뿌렸다.

그런 다음 애비슨은 호열자를 예방하려면 지켜야 할 수칙을 일일이 다 설명하고 그러고도 환자가 발생하면 바로 딴방에 격리 수용시키라 일렀다.

"어떻게 될까요?"

이승만의 물음에 애비슨은 간단히 대답했다.

"환자 발생은 시간문제요. 예방하도록 조처를 잘하고 발생하면 이 약들을 먹이도록 하시오."

애비슨 원장은 콜레라 치료약을 가져다 놓고 떠나갔다. 치료가 문제 아니라 환자 발생이 되지 않게 해 달라고 빌 수밖에 없었다.

하지만 그날 밤 환자가 한 사람 또 발생했다. 한 사람이 아니었다. 이튿날 아침이 되자 다섯 명이 한꺼번에 쓰러져버렸다. 환자 여섯 명을 딴방에 격리시키는데도 전염이 무서워 누구도 선뜻 나서지 않았다. 이승만이 나설 수밖에 없었다. 그걸 본 이승인이 마지 못해 나섰다.

환자들을 격리시키고 약을 먹이며 그 옆에서 밤을 새워야 했다. 이승만은 환자의 몸이 굳어지면 안 된다며 옆에 앉아서 팔다리를 주물렀다.

"병구완도 좋지만, 위험해서 안 되겠습니다. 이러다간 우리도 전염되어 쓰러질 것 같습니다."

"이 군수님, 나 혼자 지킬 테니 돌아가십시오."

"아니 됩니다. 어서 일어나십시오."

이승인이 이승만을 일으켜 세웠지만, 그는 거절했다. 환자가 마지막 숨을 몰아쉬고 있었기 때문이었다. 물을 달라 했다. 환자는 물 한 모금을 겨우 마시고 가늘게 눈을 떴다.

"선생님, 난 강도질을 하다가 들어온 놈입니다. 죽으면 지옥 불에 떨어지겠지요?"

"잘못을 뉘우쳤으니 주님은 형제의 죄를 사해주시고 천국으로 인도하실 걸세."

"천국으로요?"

그는 희미한 미소를 지으며 고개를 끄덕이더니 옆으로 떨어뜨렸다. 죽었던 것이다. 시신 처리도 이승만이 해야 했다. 닷새 동안 60여 명이 죽어나 갔다. 그 환자들을 돌봐주고 약을 먹이고 그들이 죽은 다음에는 시신 거두는 일까지 계속하면서도 본인은 자기도 전염되어 죽을 것이란 두려움은 느끼지 않았다. 살게 하는 것도 신이 하는 일이고 죽게 하는 것도 신이 하는 일이니 신에게 다 맡겼던 것이다. 그래서일까. 오히려 잔잔한 바다처럼 마음이 평온했다.

1년 정도를 휩쓸고 지나간 병마는 백여 명의 희생자들을 내고 물러갔다. 다시 감옥은 아무런 사고 없이 일상으로 돌아가고 있었고 학교도 정상 수업을 계속하게 되었고 도서실도 열어 독서를 권장하게 되었다.

이승만은 비로소 쉴 수 있는 마음의 여유를 찾고 시 짓기와 붓글씨 연습에 몰두했다. 그의 서예 솜씨는 수준급이었다. 네 살이 지날 무렵 부친의 극성으로 붓을 잡았었다.

"무릇 입신양명立身揚名한 선비거나 아니거나 선비 라면 시서화詩書畵에 능해야만 한다. 시란 말 그대로 시를 짓는 걸 말하고, 서는 서예, 붓글씨이며, 화는 그림文人畵이다. 그 세 가지에 전각篆刻까지 갖춘다면 금상첨화라 할 만하다. 전각이란 낙관도장을 직접 새기는 걸 말한다. 너도 시서화각의 연마를 부지런히 해야 할 것이다."

어린 승만에게 부친 경선공은 그렇게 가르쳤다. 그래서 서예 솜씨가 남다르고 시재詩才를 타고나서 많은 시를 남겼다. 시들은 거의 한문 시였다. 대표작은 〈청의부역靑衣赴役. 푸른 수의를 입고 감옥살이를 하다 라는 뜻〉이었다.

靑衣赴役청의부역

雲南 李承晚

선비가 고난의 길에 들어서니 배운 것이 한스럽구나
士入窮途悔讀書
벼슬이 빚은 삼 년 옥살이
三年緤絏做官餘

쇠사슬에 함께 묶이니 새삼 정이 들지만

鐵絲結伴新交密

용수를 쓰고 나니 옛 친구도 낯설다.

藁笠逢人舊面疎

예로부터 영웅의 옷에는 이가 있었고

從古英雄衣有蝨

지금의 인물은 생선 토막도 없이 밥 먹는 신세일세

而今客子食無魚

때가 오면 모두가 뜻한 바 이루리라

時來神物終當合

죽을망정 처음 생각 가실 줄 있으랴

寧死壯心不負初

옥중 죄수들은 이 시를 좋아하여 때때로 모두 합창하듯 암송을 했다고 전한다.

옥중의 이승만이 옥중학교 운영이나 도서실 개관 못지않게 보람을 느끼며 행복을 느낀 것은 아들 봉수가 아버지나 아니면 아내의 손을 잡고 때때로 면회를 와주는 것을 보고 기다리는 것이었다.

아버지나 자기 자신이 외로운 독자로 태어나서일까 이승만의 어린 아들에 대한 애정은 말로 표현할 수가 없었다. 그러든 어느 날 친구 박용만이 권했다.

"그렇게 아들이 눈에 밟히면 자네가 데리고 지내면 되잖나?"

"그건 또 무슨 소리야? 아들 데리고 옥살일 하라고?"

"여죄수 중에 오갈 데 없는 어린아이들을 둔 자들은 함께 데리고 옥살일 하잖나? 감옥서장에게 그렇게 해달라고 부탁해보게."

"그건 여죄수의 경우이고……."

이승만은 고개를 흔들었다. 하지만 나중에 누군가 간수장에게 말하여 서장의 허락이 떨어졌다. 그날부터 여섯 살 먹은 아들 봉수는 한 달에 4일간 옥 안에 들어와 승만과 함께 지내게 되었다. 부모님과 처가 반대를 했지만, 승만은 아이 교육을 제대로 하려면 자기가 데리고 가르쳐야 한다는 명분을 세워 설득했다.

봉수는 태산泰山이라 이름을 바꾸고 아버지 옆에서

지내게 되었는데 당장 감옥 안에서 인기를 얻어 귀염둥이가 되었다. 하룻밤 지나면 제 어미를 찾을 줄 알았으나 찾지 않고 의젓했다. 머리도 명석하여 감옥학교에서는 특별 학생으로 양기탁의 제자가 되어 공부했다. 승만은 아들 태산이 찾아오면 함께 누워 아들의 나이 때 들었던 모든 재미난 이야기들을 들려주며 아들이 잠들기를 기다렸다. 그러면서 아들의 따스한 체온을 가슴에 간직하며 흐뭇해했다.

11. 지옥 감옥에서의 해방

1904년 2월 9일. 청나라와 싸워 이긴 일본 군부는 자만에 차서 요동반도 남단에 있는 뤼순항旅順港에 정박해 있던 러시아의 극동 함대를 기습함으로 러일 전쟁의 포문을 열었다. 그러면서 일본은 전쟁 수행에 필요하니 한국 내의 전략적 요충지를 수용하며 군사적 편의를 받는다는 내용의 이른바 '한일의정서 韓日議定書'를 체결하라 강요하여 조정은 어쩔 수 없이 따라야 했다. 을미사변이 일어나 일본공사와 낭인들에 의해 명성황후가 살해당하자 전국에서는 항일 민란과 의병이 일어났다. 반일 감정이 커지자 친러파 이범진은 고종과 황태자를 정동 러시아공관에 거처를 옮기게 하고 친일 내각을 내몰고 친러 내각을 만들어 고종은 러시아공관에 1년 넘게 체류했다. 그것이 아관파천俄館播遷이었다.

1년 만에 경운궁으로 돌아온 고종은 대한제국을 선포하고 독립국 국체를 과시하려 했지만, 힘이 없었다. 더구나 청일전쟁에서 이긴 일본은 러시아에게 선전포고를 하여 전쟁을 벌이게 되었다. 일본이 유리하냐, 러시아가 유리하냐, 의견이 많았지만, 섬나라가 대국을 상대하기에는 힘에 부칠 거라는 여론이 비등했다. 러시아가 대국이긴 하지만 짜르의 부패 독재로 국력이 쇠잔해 있는 데다가 러시아가 극동까지 군대나 군수물자를 수송하려면 보급로가 너무 길어 전쟁 수행이 어렵고 일본 해군을 꺾으려면 극동 함대만 가지고는 안 되니 발트 함대를 발진시켜야 하는데 발트 함대는 스칸디나비아 앞바다에 있으니 일본까지 오려면 지구를 한 바퀴 돌아야 하는 먼 항해를 감수해야 했다.

러일전쟁에서 일본이 이긴다면 우리나라는 일본의 손아귀에서 벗어날 수 없게 된다는 절박감이 일고 있었다. 그것을 알자 고종은 이제야말로 항일 세력을 규합해야 할 때라 생각하고 옥에 갇혀 있던 정치범들을 풀어주기 시작했다. 한성감옥에도 재수자 중에 정치범들이 거의 모두 석방이 되어 나갔다. 매일매일 기쁨의 축제가 벌어졌다.

"우남, 너무 초조해하지 마시오. 내일이나 모레쯤 엔 나가게 될 테니. 다 나가고 있는데 우남을 빼놓을 리가 있소?"

먼저 나가는 것이 미안했던지 이상재가 위로했다. 그해 1904년 3월부터 줄줄이 정치범들을 석방하는데 여전히 전번처럼 이승만은 제외되어 모든 사람이 안타까워했다.

'이번에도 못 나가는 게 아닐까?'

참담한 심정이었다. 이승만은 매일매일 초조하게 지내야 했다. 그 초조감은 감옥서장 김영선도 마찬 가지였다. 왜 안 내보내는지 이유를 알 수 없다는 것이었다. 하지만 그는 진심으로 곧 풀려나갈 거라고 위로했다. 그동안 사형수 10명, 미결수 78명, 일반범 97명, 정치범 43명 등이 석방되어 이제 남은 정치범은 이승만을 빼고는 없었다. 갈등으로 잠을 이루지 못하던 이승만은 마침내 마지막 남겨진 것도 하나님의 뜻이라면 달게 참겠다며 체념의 기도를 드렸다.

8월 9일. 감옥 안의 아침 식사가 끝나고 감방 청소를 시작하려 할 때 누군가 복도를 뛰어오는 소리가 들렸다. 감옥서장 김영선이었다. 그는 기뻐서 외치고 있었다.

"우남! 석방이오! 드디어 석방되었소."

옥리가 자물통을 열자 방 안으로 들어선 김영선은 석방 증서를 내보였다. 그걸 확인한 이승만은 김영선을 껴안았다.

"고맙습니다. 하나님!"

두 사람은 한동안 껴안은 채 울음을 터뜨리고 있었다. 실로 길고 긴 옥살이였다. 만 5년 7개월 만에 자유의 몸이 된 것이다. 출옥 준비를 끝내고 감옥 서장실에 들르자 그 방에는 가족들이 기다리고 있었다.

"아버님, 얼마나 고생하셨습니까? 절 받으십시오."

아버지를 껴안고 눈물을 흘린 승만은 큰절을 올렸다.

"무슨 소리냐? 고생은 네가 했지. 아픈 데는 없고?"

"건강은 타고났잖아요?"

"그래 다행이다. 오늘 같은 날 네 어머니가 있었어야 하는데……."

"집에 가는 내로 어머님 산소 찾아뵐게요."

눈물을 닦아낸 승만은 그제야 아내의 투박한 손을 잡았다.

"면목 없구려. 가장이 돼 가지고. 당신이 인화문 앞에서 자리 깔고 복각상소를 올리며 시위했단 말 듣고 감동했소. 여성의 몸으로 누구도 생각지 못한 석방운동을 보여주었다고 신문도 대서특필했다오."

"별무효과였는데요, 뭐……."

"그보다 태산아, 어서 할아버지 어머니께 인사 올려야지?"

이승만은 자기와 함께 있다가 데리고 나온 아들에게 말했다. 손자의 절을 받은 경선공은 감격스럽고 대견한지 손자를 끌어 안았다.

"다시는 헤어져 살지 말자."

이윽고 승만의 가족은 서장 김영선의 배웅을 받으며 한성감옥을 나와 남산 밑에 있는 집을 향해 걸었다. 집으로 돌아온 이승만은 우선 푹 쉬라는 아버지의 권유를 뿌리치고 임종도 못 지켜드린 어머니 산소에 가고 싶다고 했다.

"그럼 그렇게 하자."

경선공이 손자를 데리고 앞장섰다. 동작나루 근처의 공동묘지에 승만의 어머니는 묻혀 있었다. 이승만은 초라한 어머니 묘 앞에 꿇어앉아서 기도를 올렸다. 만감이 교차하는 어머니의 추억이었다.

그는 품속에 언제나 고이 간직하고 다니던 어머니의 참빗을 꺼내어 냄새를 맡았다. 이 빗은 승만이 어려서부터 서당에 다닐 때에도 아침마다 어머니께서 무릎에 앉혀 놓고 댕기 머리를 빗겨주시던 빗이었다. 머리를 빗겨주면 그때마다 바로 등 뒤에 앉은 어머니의 숨결이 두 귓가를 간질이고 어머니 숨결과 어머니의 풋풋한 체온이 전해져 오곤 했다. 어머니의 머리 빗겨주기는 장가들던 날 아침이 끝이었다.

"이젠 장가들어 어른이 되었으니 상투를 틀어야지. 상투머리는 네가 빗어 올려야 한다. 알았지?"

"예, 어머니."

그날 아침 상투를 틀고 나자 어머니는 그 참빗을 아들에게 주었다. 장가드는 아들에게 주는 어머니 선물이었던 것이다. 감옥에 있어도 아침마다 세수하고 상투를 새로 틀 때면 머리를 빗어야 했고 그때마다 그리운 어머니 생각을 하고 냄새를 맡곤 했었다.

젖먹이 때부터 승만은 어머니밖에는 모르고 자랐다. 방랑벽이 심했던 아버지는 청노새 등에 올라 팔도 답파踏破를 나서면 보름이 지나도 한 달이 지나도 돌아올 줄을 몰랐다. 자식 키우고 생계를 유지하는 그 모든 책임은 어머니였다.

생활력도 있었지만, 어머니는 그 당시에는 글을 배운 보기 드문 부인이었다. 김해김씨金海 金氏 양반집안 출신이었고, 글을 하여 신학문에 대한 이해도 빨랐다. 아들 교육을 위해 서당을 찾아 두 번이나 그 가까운 곳으로 이사하는 열의를 가진 어머니였다.

"어머니, 불효자 이제 왔습니다. 용서해주세요. 얼마나 원망하셨습니까?"

한성감옥에 오기 전, 경무청 미결감에 있을 때 알지 못하는 병을 얻어 고생하던 어머니는 아들 이름을 부르며 눈을 감았다. 당시에는 면회가 금지되어 있어 어머니 사망 소식을 들을 수 없었다. 어머니 영면 소식을 들은 것은 한성감옥으로 이감되어서였으니 돌아가신 뒤 두 달 후였다.

"네 말대로 새 시대가 왔으면 앞뒤 보지 말고 너 하고 싶은 대로 해. 엄마는 널 믿는단다. 어떻게 하든 네 아버지 승낙은 내가 받을 테니까 상투 자르거라."

상투를 자르겠다고 했을 때도 완고한 유학자의 아내였던 어머니였지만 아들의 뜻에 따라주었다. 그만큼 개방적인 생각을 하고 있었던 것이다. 이승만은 어머니 무덤에 엎드려 다시 한번 다짐했다. 무슨 일이 있어도 어머니 기대에 어긋나지 않는 아들이 되어 나라를 위해 큰 뜻을 펼쳐 보이겠다고 약속을 했던 것이다.

집으로 돌아온 이승만은 심기일전心機一轉했다. 아버지는 그동안 감옥에서 온갖 고생 다 했으니 제발 휴식하고 몸부터 추스르라 했지만, 승만은 괜찮다며 동지들이 모이기로 한 연동교회로 갔다. 출옥하면 그 교회에서 다 모여 장래 일을 상의해보자 했던 것이다.

당시 연동교회 목사는 선교사 게일J. S. Gale이었다. 이승만은 그를 좋아했다. 게일은 캐나다 토론토 대학을 나오고 하버드대에서 박사를 한 엘리트였다.

"출감을 축하합니다."

"고맙습니다. 세례洗禮를 받고 싶습니다. 날을 받아 저에게 세례를 주시지요."

승만은 그에게 세례를 부탁했다. 감옥에서 입신은 했지만, 세례를 받을 기회가 없었던 것이다.

"승만 씨는 감리교도이고 난 장로회 목사입니다. 그런데 왜 굳이 나한테 받으려 하시지요?"

"전 목사님을 존경하기 때문입니다."

"그보다 앞으로의 계획을 듣고 싶습니다. 이제 무얼 하시겠습니까?"

177

"전처럼 독립 수호와 민생 민주주의 계몽 운동을 해나가려 합니다."

"당연히 그러리라 생각했습니다만 어떠시오? 더 넓은 세상에 나가 공부하고 돌아오고 싶은 마음은 없었습니까?"

"유학 말씀인가요?"

"그렇소. 승만 씨는 미국에서 선진 학문과 문물을 배우고 돌아오는 게 좋을 것 같다는 생각이오만. 그리고 세례도 미국에 가서 영성靈聖 깊은 고매한 목사님께 받는 게 좋을 것이오."

게일 목사는 유학을 권했다. 이승만은 때가 오면 가겠다고 약속했다. 약속한 대로 출소한 동지들이 하나둘 연동교회로 모여들었다. 이원긍, 조종만, 이상재, 신흥우, 유성준, 박승봉, 김정식, 이승인, 홍재기, 양기탁, 박용만 등이었다.

게일 목사는 그들을 묘동 교회와 안국동 교회, 중앙 기독교 청년회관, 혹은 동경 기독교 청년회로 파송하여 분산, 기독교 전도운동과 민족계몽운동에 앞장서도록 도와주었다. 그러나 이승만이 5년 7개월 만에 나온 조국의 현실은 그 이전보다 더 악화하여 있었다.

일러전쟁은 막바지에 이르러 러시아의 패색이 짙어지고 있었다. 극동 진출을 위해 강하게 밀어붙인 러시아 세勢에 부담을 느낀 것은 영토 팽창 야욕에 불타던 일본이었다. 그래서 도박 같은 대러시아 전쟁을 벌이게 되었던 것이다. 일본은 주변의 미국이나 영국, 프랑스 등의 지원을 받았고 그 배후를 믿었기 때문에 포문을 연 것이다.

그들 삼개국은 일본과 이해 상관이 일치했기에 지원한 것이다. 러시아의 패색이 짙어지기 시작하자 일본은 점점 더 기고만장하게 되었다. 이른바 〈한일의정서〉라는 것을 빌미로 군사상 필요한 땅이라면서 전국의 중요한 요지를 강탈하다시피 수용해버렸다. 대규모 일본군의 주둔지로 필요하다며 서울 용산 주변의 너른 땅을 차지하기 위해 1만 5천 세대의 조선인 가족을 강제 이주시켜버렸다. 그런가 하면 동양척식주식회사라는 걸 만들어 조선의 불용토지不用土地를 헐값에 매수하겠다고 나섰다. 이

179

같은 일련의 사태는 바로 러일전쟁이 끝나면 여세를 몰아 조선을 완전히 점령하여 식민지로 만들겠다는 사전 포석이 숨어 있었다.

이런 사정하에서 이미 독립협회는 강제 해산되어 버렸고 동지들은 뿔뿔이 흩어져서 무력감에 빠져 있었다. 석방 후의 이승만은 가명을 버리고 당당하게 본명을 밝히며 〈제국신문〉에 논설을 발표하여 날카로운 필봉을 휘둘렀다. 이승만은 논설에서 일본의 군사력 팽창과 조선 내의 토지수용은 거의 수탈 단계에 와 있다는 논지論旨를 폈다.

이 논설은 일본군부의 비위를 거슬러 그들은 정부에 강력히 항의하고 〈제국신문〉 폐간을 요구했다. 정부도 어쩔 수 없었던지 1904년 10월 10일자로 '무기정간無停刊'처분을 내렸다. 〈제국신문〉은 이승만이 창간한 분신 같은 신문이었다. 일제는 이승만의 입을 막아버렸던 것이다.

상동교회에 모인 동지들은 이구동성으로 일제를 규탄하며 비분강개했다. 스크랜턴이 목사로 있던 그 교회에는 애국청년이었던 전덕기가 기둥 노릇을 하며 모든 동지의 손발 노릇을 해주었다. 이승만, 박용만, 정순만, 신흥우 등이 모여 '상동 청년회'를 조직하고 교육 선교教育宣教를 의논했다.

상동교회 안에 학교를 만들자는 것이었다. 표면적으로는 기독교 교육과 선교를 위한 학교를 열자는 것이었지만 사실은 지하에서 민족운동을 펼쳐나가자는 것이었다. 이윽고 스크랜턴 목사의 허락을 받고 이승만과 동지들은 유력 인사들을 찾아다니며 학원 설립을 위한 모금 운동을 펼쳤다.

당시로써는 거금이라 할 수 있는 700원이 모금되었다. 옥중학교를 운영해본 경험이 있었기에 동지들은 이승만을 교장으로 앉혔다. 드디어 10월 15일 오후 2시. '상동 청년학교'의 개교 예배는 3백여 명의 내외빈들이 참석한 가운데 성황리에 열렸다.

학생은 성인반과 소년반으로 나누어 모집했고 초창기에는 헐버트 선교사가 세계 역사와 지리, 스크랜턴의 어머니는 영어, 전덕기는 성경, 주시경은 한글을 맡았으며, 이승만은 국사와 국제정치 등을 강의했다. 나중에는 강사진도 국사의 최남선崔南善, 장도빈,

영어의 남궁억 등이 보강되며 상동청년학교는 평양의 대성학교와 쌍벽을 이루는 민족교육학원이 되었다.

상동 청년학교 설립은 이승만의 꿈이 담긴 작품이었다. 교장이 되자 기뻐하며 이제부터 일을 해보겠다는 의욕을 불태웠다. 그러나 3개월 교장으로 끝났다. 3개월이 지난 무렵 전혀 뜻밖의 일이 다가왔다. 미국으로 급히 떠나야 할 사안이 발생한 것이었다.

어느 날 교회 학교로 낯선 사람이 찾아왔다.

"한 의장 각하께서 보내셔서 왔습니다."

"무슨 일이 있습니까? 한 대감께?"

"아닙니다. 급하신 일이니 틈을 내셔서 오늘 밤 가회방 댁으로 와주셨으면 하셨습니다."

"오늘 밤? 알았소. 찾아뵙는다고 전하시오."

한규설이 보낸 그의 집 서사書士였다. 밤이 되자 승만은 한규설 대감 댁을 찾았다. 사랑으로 안내되어 들어간 승만은 깜짝 놀랐다. 충정공忠正公 민영환이 한규설과 간단한 주안상을 앞에 두고 담소를 하고 있었던 것이다.

"안녕하십니까? 각하!"

"어서 오시오. 승만 씨!"

승만은 민영환에게도 인사했다.

"오랜만에 존안 뵙습니다."

"그러게 말이오. 옥살이에 얼마나 고생하시었소? 근 6년 동안이나 고초를 겪으셨다니 뭐라 위로해야 할지 모르겠소."

"밖에 계신 어르신들이나 옥 안에 든 저희나 신산한 고초는 매한가지 아니었나 생각됩니다."

"나라가 평안하고 백성이 태평을 노래해야 하거늘 이 모양 이 꼴이니 공의 말씀 그르지는 않소이다. 그래서 승만 씨를 만나 급히 상론할 일이 있어 오시라 했소."

"예, 말씀하시지요."

"러일전쟁은 막바지에 이르렀고 패색이 짙은 러시아가 정전停戰 제의를 해서 쌍방 회담을 하고 있소. 일본은 막대한 전쟁 배상금을 요구하겠지요. 요동반도와 화태華太. 사할린 땅 등을 자기들이 차지하고 극동에서의 러시아가 장악했거나 추구하고 있던 이권사업은 모두 일본에 넘기고 만주와 조선에서의

183

이권 역시 일본이 차지해도 간여하지 말라는 식이 될 것이오. 그렇게 되면 우리나라의 운명은 일제에 의해 망국의 길로 들어서고 속국이 될 일만 남았습니다."

"그렇군요. 메이지 유신明治維新 때의 수상 사이고 다카모리는 일본의 국력 신장을 위해서는 조선의 식민 지배가 필수적이라며 정한론征韓論을 주장했습니다. 그 이후 일본의 지배층은 그 야망을 실현하기 위해 혈안이 되어 왔습니다. 실현을 위해서는 국모도 시해할 정도였으니까요. 보통 위기가 아닙니다."

그러자 민영환이 술잔을 권하며 말을 이었다.

"역시 승만 씨는 뚜렷한 역사관을 가진 해박한 애국자요. 그래서 지금 우리나라를 구해줄 수 있는 나라는 미국밖에 없다는 결론을 우리 한 대감과 함께 내렸소. 승만 씨는 거기에 대해 어떻게 생각하시오?"

"그건 그렇습니다. 서구 열강이 모두 자국의 이익을 위해 식민지 쟁탈전을 벌여 왔습니다. 그 가운데 미국은 다른 국가들과는 달리 민주적이고 청교도적淸敎徒的이며 바른 도덕성을 갖춘 신흥대국이었습니다. 쟁탈전에 안면 몰수하는 나라와는 다르지요."

"그래서 말인데 우리는 미국과 1882년 '조미수호조규朝美修好條規'란 조약을 체결한 적이 있소. 그 조규에 의하면 조선이 타국의 침략을 받을 때는 미국이 나서서 보호하겠다는 조항도 있습니다."

민영환은 이야기의 결론을 냈다.

"우리 정부 대표로 미국 워싱턴으로 가서 미국 대통령을 만나 우리 조선을 구해달라고 청원할 밀사가 필요합니다. 그 적임자는 역시 영어에 유창하고 박식하며 애국심이 투철한 이승만 씨라 생각되어 부탁하려 합니다."

민영환은 그렇게 얘기하며 이곳에 있는 가족은 자기가 돌봐주겠으며 워싱턴 한국공사관에서 일할 수 있도록 해주겠다고 이승만에게 제의했다. 이승만은 그 제의를 수락했다.

"알겠습니다. 그럼 언제쯤 떠나는 게 좋을까요?"

"가급적 이른 시일 안에 떠나야 합니다."

이승만은 두 사람과 헤어져서 상동교회로 와 동지들과 상의해보았다.

"조국의 운명이 걸린 문제인데 망설일 게 뭔가?

어서 미국으로 떠나게. 상동학교는 우리가 있으니."

동지들은 모두 찬성이었다. 아버지 경선공은 감옥에서 나온 아들이 잠시도 쉬지 못하고 만리타국으로 가야 한다니 걱정이 되어 만류했다.

"어찌 그 일을 너만이 할 수 있다고 생각하느냐? 유능한 사람 많으니 딴 사람에게 양보하고 제발 좀 건강을 돌보아라."

그렇게 말하며 못 가게 하는 아버지를 겨우 설득하여 승낙을 받았다.

II

1. 미국은 대한제국을 압니까?

드디어 그로부터 이십여 일이 지난 1904년 11월 4일 오후 1시. 이승만은 미국으로 출국하기 위해 노량진에서 제물포로 가는 경인선 기차에 몸을 실었다. 5년 전에 개통된 철도였다. 아버지 경선공과 아내 그리고 아들 태산이도 배웅을 하기 위해 제물포까지 동행했다. 이승만은 민영환과 한규설이 미국 하원의원인 휴 딘스모어Hugh A. Dinsmore에게 보내는 편지와 민영환이 주미공사관 신태무 공사 대리 앞으로 보내는 편지 등 3통의 밀서를 트렁크 밑바닥에 숨긴 채 떠나고 있었다.

휴 딘스모어는 1887년부터 2년 동안 주한 미국공사로 서울에 와 근무했던 공사로 민영환이나 한규설과 아주 친한 사이였고 친한파 인사였다. 그는 고국에 돌아가서 고향인 아칸소주의 하원의원으로 의정 활동을 하고 있었다. 딘스모어 의원을 통하여 미국 대통령을 만날 수 있게 하려는 것이었다.

"아버님, 봉수 데리고 이제 귀경하시지요. 소자 다녀오겠습니다."

제물포항에는 일본 고베神戸항까지 가는 화물선 오하이오호가 떠 있었다. 고베에 가서 미국 호놀룰루로 가는 배를 갈아타게 되어 있었다.

"그래 알았다. 몸 성히 잘 다녀와라. 어서 승선해라."

이승만은 배에 오르기 전 아들 봉수를 불렀다. 일곱 살 소년이었다. 아버지 이승만을 쏙 빼닮은 용모를 하고 있었고 또래와 비교했을 때 아주 똑똑한 아이였다. 승만은 아들의 두 손을 잡아 끌어안고 어깨를 다독거렸다.

"나 다녀올 동안 할아버지, 어머니 잘 보살펴라. 공부 열심히 하고? 알았지?"

"예. 안녕히 다녀오세요."

아들이 절을 했다. 아내는 차마 남편을 바로 보지 못하고 비스듬히 돌아서서 고름으로 눈물을 찍어내고 있었다.

"여보, 아버님을 부탁해요."

부인에게 그 말 한마디를 던지고 승선 준비를 했다. 그는 옥중 동지요 경무관 출신이던 김정식의 보증으로 발부받은 대한제국의 집조執照. 여권를 가지고 있었다. 미국 유학 여권이었다. 그때 이승만과 동행하게 된 이중혁이 자기 가족과 이별하고 다가왔다. 그의 뒤에는 그의 처와 형 이중진 부부가 따라오고 있었다.

"안녕하세요? 멀리 나오셨네요?"

이중진 형제가 경선공에게 깍듯이 인사했다. 이중진은 한성감옥 간수장이었고 이승만과 동행하게 된 아우 중혁은 옥리였다. 두 사람은 감옥서장이었던 김영선을 도와 이승만의 옥중 생활에 많은 편의를 제공하고 도와준 관리들이었다.

이승만을 진심으로 존경했고 옥중학교에서 다른 정치범과 함께 배웠고 이승만의 전도에 따라 기독교에 입교했다. 이승만이 미국으로 가게 되었다 하자 동생인 중혁은 미국 유학을 하기 위해 따라나섰다. 이승만의 여비도 부담해준 고마운 사람들이었다.

"올라가시죠."

"그러세."

이승만과 이중혁은 배에 올라갔다. 오하이오호에는 제물포에서 하와이 이주 노동자로 이민을 하는 동포 노동자 70명과 일본인, 중국인 등이 함께 타고 있었다. 배의 난간에는 남겨진 가족 친지들과 이별의 손을 흔드는 70명 노동자로 발 디딜 틈이 없었다. 이승만과 이중혁도 그 틈에 끼어 가족들에게 손을 흔들었다. 배가 고동 소리를 길게 길게 끌며 바다 위로 떠나갔다. 이 배는 고베까지 직항하는 게 아니라 서해안을 따라 목포에 도착하여 화물을 실으려고 하루를 정박하고 이튿날 떠나서 부산에 가서 일박한 후 일본 시모노세키下關로 떠나게 되어 있었다.

제물포항을 떠날 때부터 궂은 날씨가 되더니 바람이 거세어지기 시작했다. 비바람이 몰아치고 폭풍으로 변했다.

"선생님, 어떡하지요? 이러다 요나처럼 되는 게 아닐까요?"

배가 하도 요동을 치는 바람에 멀미하기 시작한 이중혁이 이승만을 붙잡고 공포에 질려서 말했다.

"염려 말게. 돛단배가 아니니까. 안전한 방법을 택하겠지."

기다리자 배는 근처의 이름 모를 포구 안으로 무사히 피항避航하여 폭풍을 이겨냈다. 하룻밤을 새우고 배는 이튿날 목포로 향했다. 목포에서 일박한 후 부산으로 향했다. 부산항 부두에는 감리교 교역자들과 신도들이 이승만을 기다리고 있었다. 오전에 도착했기 때문에 점심 대접을 받고 쉬다가 저녁이 되자 다시 승선했다. 배가 일본을 향해 떠났다.

현해탄을 건너 시모노세키에 도착한 배는 세토나이 카이濱戸內海를 가로질러 3일 만에 고베 항神戸港에 들어섰다. 이곳에서 배를 갈아타게 되어 있었다. 미국으로 가는 사이베리아호를 기다리기 위해 일주일간 머물러 있어야 했다.

"어서 오십시오. 고생하셨습니다."

십여 명 남녀 신도들과 함께 부두까지 마중 나온 목사가 있었다. 게일 목사의 소개로 서울에서 한 번 만난 적이 있던 감리교 선교사 로건Logan 이었다. 그의 교회 사택에 가서 체류하기로 했다.

"미안해서 어떡하지요? 식비 정도는 드릴 수 있습니다만."

"무슨 말씀을 하십니까? 미국까지 가시려면 여비를 아끼셔야 합니다."

"고맙습니다."

이승만과 이중혁은 로건의 교회로 향했다. 그의 교회는 고베시 내의 높은 뒷산인 롯코산六甲山 자락 밑 아름다운 곳에 있었다. 이튿날이 주일이라 주일 오후 예배에 로건 목사는 이승만을 소개하고 간증 듣는 시간을 마련해주었다.

이승만은 지옥과 같았던 5년 7개월 동안의 감옥

생활과 그 생의 밑바닥에서 예수를 만나 어떻게 구원을 받게 되었는지에 대해 한 시간 동안 간증을 이어갔다. 그의 간증을 들으며 모든 신도는 눈물을 흘리고 안타까워하고 감사해하였다. 예배 말미 광고 시간에 로건 목사는 조국을 지키기 위해 워싱턴으로 미 대통령을 만나러 가는 한국의 젊은 애국자를 도와주자고 했다. 신도들은 앞을 다투어 여비조로 성금을 내주었다.

고베는 막부시대幕府時代 일본에서 최초로 서양에 개항한 항구도시였다. 그래서인지 서양식 건물도 들어서 있었고 서양 상인들도 거리를 활보하고 있었는데 동서양의 부조화가 묘한 분위기를 나타내고 있었다. 드디어 일주일 만에 이승만과 이중혁은 호놀룰루로 떠나는 화물선 사이베리아호에 오르게 되었다.

이승만은 하와이 이주 노동자들과 함께 배의 하등 칸에 탔다. 조선인의 하와이 이민 시작은 재작년 1902년이었다. 덥지도 춥지도 않은 상하常夏의 나라, 천국 같은 하와이에 가서 노동하면 돈도 벌고 가난에서 벗어날 수 있다며 사탕수수밭 노동자를 모집하자 101명이 첫 번째 이민자로 자원했었다. 그들은 그해 12월에 하와이로 떠났다. 이들 이민자의 숫자는 계속 불어나 1903년에 1천 233명 1904년 3천 434명 등 하와이만 벌써 4천여 명의 동포들이 건너가 새 삶을 꾸리고 있었다. 지금 함께 타고 가는 동포들도 12차 이민자들이었다. 이들 하와이 이주민 동포들이야말로 이승만에게는 평생 가장 큰 지원 세력이 되었는데 그 당시에는 전혀 예상하지 못했다.

어쨌든 일본 고베항을 떠난 사이베리아호는 12일 후인 11월 29일, 중간 기착지인 호놀룰루항에 입항했다. 하루 뒤인 30일에 최종 목적지 샌프란시스코에 도착할 예정이었다. 뜻밖에도 배가 정박하자 배 위로 한국 청년 하나가 찾아왔다.

"안녕하십니까? 기다리고 있었습니다. 저는 이민국 통역관 홍정섭입니다."

"아 그래요? 난 이승만이고 이쪽은 동행인 이중혁 씨입니다."

"알고 있습니다. 내려가시지 말고 여기서 잠시만

기다려주십시오. 하와이 교민들이 간단한 환영회를
해드리겠다고 기다리고 있습니다. 오늘 하루 배 밖에서
체류하셔야 하니 이 배 선장에게 허가를 받아야
합니다."

홍정섭은 곧 일일 체류 허가서를 받아왔다.

"내려가시지요."

배에서 내려 부두에 나가자 십여 명의 환영 인사
들이 반갑게 맞아주었다.

"어서 오시오. 쌍수로 환영합니다. 난 윤병구 목사
이고 이분은 존 와드먼John Wadman 감리교 하와이
감리사입니다."

"아이고, 안녕하십니까? 편지로만 서로 수인사를
했는데 만나 뵈니 이렇게 반가울 수가 없군요."

이승만은 독립협회 일을 할 때 하와이에 있던
윤병구 목사와 여러 차례 서신을 교환한 적이 있었고
서로 조국의 장래를 걱정하며 의기 상통하여 호감을
느끼고 있던 사이였다. 그때부터 윤병구 목사는
이승만의 절대적 지지자로 평생 도와주었으며 두
번째 반려자 프란체스카를 만나 뉴욕에서 결혼식을

올릴 때에도 존스 헤인즈 목사와 함께 윤병구는 결혼식 주례도 서준 친구가 되었다. 그들은 호놀룰루에서 한 시간쯤 떨어진 에와오 한인농장에 도착했다. 그곳에는 200여 명이 넘는 교민들이 모여서 이승만의 방문을 환영했다. 그날 밤 와드먼 목사는 성찬식 聖餐食을 집례하고 윤병구 목사는 환영 인사를 했다.

"이승만 씨가 누구인지는 이미 여러분도 들어서 잘 알고 있을 것입니다. 조국의 운명은 지금 바람 앞의 등불입니다. 언제 꺼질지 알 수 없습니다. 빈사 상태의 조국을 이끌어낼 차세대 젊은 지도자입니다. 뜨거운 환영의 박수로 맞이합시다."

이승만은 즉흥 연설을 했다.

"감사합니다. 발전될 조국의 모습을 고대하고 이곳까지 와서 피땀 흘리며 일하고 계신 여러분을 뵈니 반갑고 자랑스럽습니다. 허나 빈사 지경에 허덕이고 있는 고국의 소식을 전하자니 가슴이 아프군요. 지금 세계는 약육강식弱肉强食의 무법천지가 되어 있습니다. 강자만이 살아남을 수 있습니다. 청일전쟁에서 이긴 일본은 강자가 되었다는 자만으로 조선을 정복하여 자국발전의 식민 원료 기지로 삼으려 하고 있습니다. 삼으려는 게 아니라 이미 저들은 절반쯤 집어삼켰습니다. 러시아와 싸워야 하니 군사 요충지를 내놔라, 자금을 대라는 등 치욕적인 〈한일의정서〉라는 것을 강제로 체결케 하고 그것도 모자라 몇 달 전에는 〈제1차 한일협약韓日協約〉이라 하여 고문관顧問官 정치를 하라고 강요한 겁니다. 고문관 정치가 무엇이냐? 그건 조선 정부 안에 일본이 천거하는 외국인 고문관을 세워놓고 나라를 다스리라는 겁니다. 황제를 허수아비로 만들고 일본이 간접으로 조선을 다스리겠다는 것입니다. 실권을 잃어버린 우리 조정은 정식으로 대표를 미국에 보내 구원을 청하지도 못합니다. 지금 러일전쟁은 막바지에 이르러 러시아의 요청으로 정전회담이 열리려 하고 있습니다. 이 회담에 우리 대표도 참석해서 조선의 독립을 보장받아야 합니다만 그조차 할 수 없습니다. 제가 워싱턴으로 가는 것은 바로 우리나라의 어려운 사정을 미국의 조야에 알려야 한다는 사명감 때문입니다."

　이승만의 연설은 저녁 7시에 시작해서 자정까지

계속되었고 모든 교민은 의분에 차서 두 주먹을 부르 쥐었다. 자정이 넘어 집회가 끝날 때는 누가 먼저랄 것 없이 '올드랭 사인' 곡에 맞춘 애국가가 터져 나와 모두 합창하며 눈물을 흘렸다.

이튿날 오전 11시. 윤병구 목사와 이승만은 의기투합 하여 밤새는 줄 모르고 나라의 장래에 대한 의견을 나누느라 밤을 꼬박 새우고 호놀룰루 여객선 터미널로 나와 샌프란시스코로 떠나는 사이베리아호에 다시 몸을 싣게 되었다. 일주일 뒤인 12월 6일, 샌프란 시스코에 도착했다.

이승만과 이중혁은 생라파엘에 있던 피시부처를 만나게 되었다. 피시부처의 아들은 선교사로 한국에 와 있었다. 아들의 소개로 피시 댁에서 3일 동안 묵게 되자 피시 씨는 소개해줄 사람이 있다며 샌 앤젤 신학교로 안내했다. 그 학교에서 학장인 매킨토시와 인사를 하게 되었다. 30여 분 정도 대화를 나눈 매킨 토시 학장은 이승만에게 대단한 관심을 보였다.

"어떻습니까? 졸업할 때까지 3년간 숙식을 제공하고 각종 장학금을 받도록 해줄 터이니 우리

학교에 입학하는 게 말이오? 졸업하면 한국에 파송되는 선교사로 부임하도록 하겠습니다."

"고맙습니다만 전 다른 중요한 임무가 있어 미국에 왔습니다. 워싱턴으로 가봐야 합니다. 정말 죄송합니다."

승만은 그의 뜻밖의 제의에 놀라서 어쩔 줄 모르다가 완곡하게 거절했다. 이승만과 이중혁은 샌프란시스코를 떠나 로스앤젤레스로 갔다. 그곳에서는 옥중 동지 신흥우가 기다리고 있었다. 그는 한발 앞서 미국으로 건너와서 사우스캘리포니아 대학에 유학 중이었다. 신흥우 외에도 LA에는 친구들이 여러 명 있었다. 며칠간 휴식을 취한 이승만은 워싱턴으로 가기 위해 산타페이 철도를 탔다.

"정말 미안하네. 나 혼자 가다니 발길이 떨어지지 않는구먼."

이중혁과 줄곧 함께 왔는데 여비가 없어 이중혁은 LA에 떨어지고 혼자서만 열차에 오르게 되었기 때문이었다.

"염려 말게. 여기 있는 우리가 여비를 모아 보내

줄게."

신흥우의 말이었다. 요란한 기적 소리와 함께 기차는
워싱턴을 향해 떠났다. 장장 5일 동안이나 가야 하는
철도 여행길이었다.

2. 주미한국공사관의 배신자

이윽고 12월 31일, 밤 9시. 열차는 긴 숨을 내쉬며 워싱턴의 펜실베이니아 역에 도착했다. 역에서 내린 이승만은 의외에도 조그맣고 아담한 역사에 놀랐다. 미국 수도의 역은 크고 웅장할 줄 알았는데 그게 아니었던 것이다.

우선 숙박할 곳을 알아봐야 했다. 역무원에게 부탁하기로 했다.

"난 돈이 없습니다. 싸고 조용한 호텔을 원하는데

도와줄 수 있습니까?"

그 말을 들은 역무원은 고개를 끄덕이며 친절하게 가르쳐주었다. 걸어서 첫 번째 사거리를 지나면 조그만 벨논마운틴이란 호텔이 있으니 그곳에 가서 묵으라는 것이었다. 마음에 드는 호텔이었다. 값이 싸고 조용해서 워싱턴에 있는 동안에는 이곳에 묵어야겠다고 생각했다.

이튿날 아침 이승만은 외교관 거주 구역인 아이오아 서클로가 주미 한국공사관을 찾아갔다.

"안녕하십니까? 나는 한국에서 온 이승만이라 합니다."

자기소개를 하자 사무실 창구 안쪽 테이블에 앉아 있던 삼십대 후반의 사내가 일어나 다가왔다.

"그렇습니까? 안으로 들어오시지요. 오실 것이란 민영환 대감의 전문電文을 받았습니다. 나는 공사관에 근무하는 김윤정 참사관參事官입니다."

나라가 가난해서일까. 공사관이 초라해 보였다. 근무하는 직원도 주미공사 신태무와 참사관 김윤정, 일등 서기관 홍철수 그 외 타이피스트 겸 백인

여직원인 릴리 양과 운전사인 흑인 죠 등이 다였다.

그런데 겨우 한국 사람은 세 사람인데도 심각한 내분을 겪고 있었다. 신 공사와 김 참사관이 서기관과 함께 사사건건 맞서며 신경전을 펼치고 있었던 것이다. 신태무 공사는 엄비가 추천한 인물이었고 그녀의 심복 중 하나였다.

엄비는 자기 소생인 왕자 이은李垠을 보위에 앉히려고 애를 쓰고 있었는데 워싱턴에서 유학 중인 고종의 둘째 아들 의친왕義親王이 걸림돌이었다. 워싱턴에서 고종에게 의친왕의 면학 태도나 왕자로서의 품위를 지키지 못하고 있다는 과장된 보고서를 작성하여 보내며 의친왕의 동정을 감시하는게 신 공사의 일이었다.

그 같은 이야기들은 그의 반대파인 김 참사관이 전한 것이었다.

미리 알고 있으라는 것이다. 이승만은 정식으로 신 공사와 대면했다. 그는 종전을 맞은 러일전쟁 이후 일본의 침략으로 나라의 운명이 위험해졌고 그 위험을 막아줄 수 있는 나라는 미국밖에 없는 것이 황제뿐 아니라 대신들 그리고 조야의 한결같은 기대라는 것을 상기시켰다.

"나는 그래서 민간인 자격으로 이곳에 온 것입니다. 미국과 우리나라는 1882년에 조미 수호조약을 체결했습니다. 공수협약攻守協約이라 할까요? 그 조약 이행을 즉시 발효시켜달라는 것입니다. 나와 함께 T. 루즈벨트 대통령을 만나 뵙고 청원드릴 수 없을까요?"

그러자 그는 심각한 표정이 되더니 고개를 흔들었다.

"왜 오셨는지 알겠습니다만 공사관은 본국의 명확한 훈령이나 지시 없이는 워싱턴 정부에 대표권을 행사할 수 없습니다. 공식적인 훈령이 내려오면 루즈벨트 대통령 면담을 요청하겠습니다."

신 공사는 그렇게 잘라 말했다.

"무책임하신 말씀이군요. 나라가 위기에 처하거나 말거나 난 상관이 없다는 태도십니다."

이승만은 화가 나서 직설적으로 불쾌하게 한마디 했다.

"뭐요?"

"그렇잖습니까? 본국의 훈령이라니요? 지금 일본은 고문관 정치를 하라며 자기들이 내세운 외국인 고문들을 내각 곳곳에 앉혔습니다. 국사國事 전반을 그들이 쥐고 있는데 황제인들 어떻게 그들 몰래 미국의 한국공사관에 훈령을 내릴 수 있겠소? 일본 사람들이 감시하고 있는데? 설마 그걸 몰라서 하는 소린 아니겠지요?"

"여하튼 나는 본국 정부의 훈령대로만 따를 뿐입니다. 미안합니다."

신 공사는 벽창호처럼 막혀서 자기 말만 되풀이하고 바쁘다며 자리에서 일어섰다. 이승만은 그의 태도에 완전히 실망했다. 어렵게 미국에 입국했는데 첫발부터 돌부리에 걸렸던 것이다. 그가 고민에 빠져 있자 참사관 김윤정이 접근했다.

김윤정은 두뇌 회전이 빠르고 공명심이 앞서 보이는 지식인이었다. 그는 일찍이 일본에 유학을 갔다가 매년 5명씩 미주 유학생을 선발하는 데 뽑혀 미국으로 들어와 워싱턴의 흑인 학교인 하워드 대학을 졸업하게 되었다. 거기서 한국 주재 미국공사관의 고문이었던 니드함 교수의 눈에 띄어 알렌 공사에게 소개되었다. 그가 주미공사관에 들어오게 된 것은 바로 알렌 공사의 추천으로였다.

그는 어느 날 이승만이 묵고 있던 벨논마운틴 호텔로 찾아왔다. 한가로운 것처럼 처음에는 이 얘기 저 얘기 하다가 김윤정은 속의 말을 털어놓았다.

"고국에서 이승만 씨의 빛나는 행적은 영어 신문이나 잡지 등에서 읽어 잘 알고 있었습니다. 존경하고 있었습니다."

"천만의 말씀입니다."

"신 공사님을 헐뜯기 위해 지난번 말씀드렸던 건 아닙니다만 겪으신 바와 같이 그분은 나라의 국운 따위엔 전혀 관심이 없고 관심은 오로지 엄비 마마에 대한 충성뿐입니다. 제가 보기에 이 선생은 뭔가 비밀스러운 임무를 띠고 오신 것 같은데 신 공사님의 협조 같은 건 애당초 기대하셔서는 안 될 겁니다. 차라리 저 같은 사람에게 협조를 요청하시면 최선을 다해 뛰겠습니다."

그건 그의 말이 맞는 것 같았다.

"하지만 김윤정 씨는 참사관에 불과하지 않습니까? 주미 공사관을 대표할 수 없으니 협조하시는 데도 한계가 있을 텐데요?"

"그래서 부탁합니다. 신태무 공사를 본국에 소환 시키게 하시고 그 자리에 절 천거해주십시오. 제가 공사 대리가 되면 되잖습니까?"

그가 원하는 건 주미공사 자리였다. 이승만은 잠시 고민에 빠졌다. 엄비는 음으로 양으로 자신을 도와준 은인이었다. 은인을 위해서는 신 공사를 두둔해야 했지만 그렇게 되면 자기가 띠고 있는 비밀 임무를 제대로 수행할 수 없게 되어 있었다. 마침내 이승만은 결단을 내렸다. 대의를 위해서는 소의를 버려야 한다는 것이다.

참사관 김윤정의 빠르고 정확한 일 처리와 판단력 등을 보고 그와 손잡기로 했다. 이승만은 곧 민영환 에게 워싱턴에서 서울로 가는 외교행낭 편에 신 공사를 소환하고 김윤정을 대리 공사로 해야 한다는 의견서를 보냈다.

그러자 얼마 되지 않아 신태무 공사는 본국으로 소환되고 김윤정이 대리 공사직을 맡게 되었다. 김윤정이 이승만의 비밀 임무 수행 성공을 위해 최선을 다하겠다고 약속을 했기 때문에 그가 원하는 대로 해주었던 것이다.

한편 이승만은 한규설과 민영환이 보낸 비밀 서찰을 전하기 위해 전 주한 미국공사를 지낸 바 있던 하원 의원 딘스모어를 만났다. 서찰을 읽고 난 딘스모어는 하루속히 미국이 나서서 손을 쓰지 않는다면 한국은 일본의 협박에 나라가 위태로워진다는 사실을 깨닫고 서두르겠다고 했다.

"우선 헤이 국무장관을 만나볼 수 있게 손을 쓰겠소. 헤이 장관이라면 아마 한국 문제를 정의롭게 다루려 할 것입니다. 그리고 일단 언론에 호소하여 국제 여론을 일으켜야 합니다. 〈워싱턴 포스트〉에 친구가 있으니 만나게 해드리지요."

딘스모어는 이승만의 헤이 국무장관 면담을 추진하고 곧 〈워싱턴포스트〉지에 승만을 소개했다. 당장 인터뷰를 하자 하여 승만은 극동 정세를 논하고 일본의 야욕 앞에 한국이 속국이 될 운명에 처해 있다는 것과 그 어려움을 막아줄 수 있는 국가는 한국과 상호수호조약을 체결한 미국뿐이며 자신은 그걸 알리기 위해 미국에 왔다는 걸 밝혔다.

인터뷰 기사는 1905년 1월 15일 자 〈워싱턴 포스트〉 지에 실렸다. 다행인 것은 신문 기사를 보고 워싱턴 시내와 근교의 여러 교회와 단체들이 이승만을 초청하여 연설을 듣고 싶어 한다는 것이었다. 그는 아무리 피곤해도 거절하지 않았다. 그렇게라도 해야 여론을 환기시킬 수 있고 연설 사례비를 받을 수 있었기 때문이었다.

그 사례비는 워싱턴에서 버틸 수 있는 최소한의 생계비가 되었다. 한편, 기다리던 헤이 국무장관의 면담은 한 달이나 지나서 성사되었다. 다행히 중국통이었던 헤이 장관은 이승만의 간절한 청원에 동감을 표하며 한미 간의 조약이 조속히 실행될 수 있도록 정부 차원에서 힘쓰겠다고 약속했다.

이승만은 자기의 임무 수행이 성공하는 듯한 서광이 보이자 희색이 만면했으나 불행히도 헤이 장관은 그로부터 한 달 만에 병을 얻어 타계하고 말았다. 그래서 중요한 길이 막혀버렸다. 좌절하고 실망하고 있을 때 하와이에서 기쁜 소식이 날아왔다.

"이번에 하와이 교민회 총회에서 루즈벨트 대통령에게 청원서를 제출하라고 대표자로 당신과 나를 뽑았습니다. 곧 워싱턴으로 내가 가겠소."

하와이 감리교의 윤병구 목사의 편지였다. 교민회 총회가 열린 것은 미 태프트 국방장관이 하와이를 방문한 시점과 맞물려 있었다. 태프트 장관은 루즈벨트 대통령의 딸인 앨리스와 사위를 대동하고 동양제국을 순방하기 위해 미국을 떠났는데 첫 기착지가 하와이였다.

이에 하와이 교민 4천 명은 대대적인 환영 행사를 개최하고 장관 일행을 맞이했다. 그러면서 총의를 물어 미 대통령에게 한국 독립을 약속하는 청원서를 보내자는 것과 그 대표자로 윤병구 목사와 이승만을 뽑았던 것이다. 아울러 와드먼 선교사에게 부탁하여 대표자들이 대통령을 쉽게 만날 수 있도록 태프트 국방장관의 소개서를 얻어내도록 한 바 장관이 승낙했다는 것이었다.

얼마 안 되어 하와이에서 윤병구 목사가 날아왔다. 뒤이어 LA에서 박용만이 왔다. 박용만은 LA에서 유학 중이었는데 잠시 귀국할 일이 있다며 찾아왔다.

"마침 보스턴에 만나야 할 사람이 있어 왔다가 들른 거야. 부탁할 거 있으면 하게."

"돌아올 때 우리 태산이 좀 데려와줄 수 없나?"

"자네 아들 말인가? 지금 여덟 살이지? 하지만 아버님께서 놓아주려 하실까? 자네 부인도 그렇고 말이야. 태산이가 미국으로 와버리면 시아버지와 며느리 두 사람만 남게 되는데?"

"음, 그게 좀 걸리지만 자식은 큰물에서 키우고 싶어. 여기서 대학까지는 다니게 하고 싶네. 그래서 여러 번 아버님께 편지로 그 뜻을 전했네. 강하게 반대를 하셨지. 하지만 내가 양보를 하지 않자 아버님도 마지못해 양해하셨네."

"그렇다면 돌아올 때 그 아이를 데려오도록 해 봄세."

"그리고 이건 민영환 대감께 보내는 보고서일세.

미국 와서의 활동 내용과 전망 등을 담았어. 트렁크 밑에 깔고 잘 감춰서 가지고 가주게."

"염려 말아."

박용만은 한국으로 떠났고 이승만은 하와이에서 온 윤병구 목사와 함께 하와이 교민 대표 자격으로 청원서를 제출하기 위해 하기 별장에 있던 시어도어 루즈벨트 대통령을 만나러 가기로 했다. 대통령은 사가모어힐, 오이스타 베이 별장에서 여름휴가를 보내고 있었다. 두 사람은 서둘러 마차를 타고 그곳으로 달려갔다. 대통령 비서관을 만나 태프트 장관의 소개서를 전하고 면담을 청했다.

그러나 면담 성사는 요원하다는 것이 비서실과 출입기자들의 말이었다. 러시아와 일본의 정전회담 장소로 미국의 포츠머스가 정해져 양국 대표들이 입국하는 등 부산했던 것이다. 그러나 끈질기게 기다리자 비서실에서 드디어 인터뷰 일정이 나왔음을 통보해주었다. 이승만과 윤병구는 흥분하여 잠을 설치고 약속된 시간에 맞추기 위해 턱시도 예복을 빌려 입고 실크 모자까지 빌려 쓴 채 마차를 타고 들어갔다.

대통령은 러시아 정전 대표단을 맞으려고 현관으로 나오다가 두 사람을 만나게 되었다. 시간이 없으니 거기서 면담을 하겠다는 것이었다. 이승만은 급히 청원서를 주고 자기가 온 뜻을 간략하고 요령 있게 말했다.

"한미수호조약은 존중되어 마땅합니다. 지금 나는 귀국을 위해 무엇인가를 하고 싶지만 그럴 수 없군요. 정식 외교 채널로 접수되지 않으면 나도 어쩔 수 없기 때문입니다. 귀국 공사관을 통하여 국무부에 접수하시오. 그런 뒤에 좋은 결과를 얻도록 해보겠습니다."

짧은 시간의 면담이었다. 〈워싱턴 포스트〉는 한국의 두 대표가 루즈벨트 대통령을 만났다는 것과 대통령이 외교 통로를 통하여 청원서를 정식으로 제출하면 논의하여 좋은 결과를 낼 수 있게 해주겠다고 약속했다며 보도했다.

두 사람은 희망에 넘쳐서 워싱턴 주미공사관으로 달려가 김윤정 대리 공사를 만나 기쁨으로 소리쳤다.

"자, 이제부터는 당신이 나설 차례입니다. 이 청원서를 국무부에 정식으로 접수하시오."

"예, 알겠습니다. 좀 기다려주십시오. 그리고 이 선생 앞으로 전문이 와 있습니다. 발신인은 박용만 씨로 되어 있는데요?"

"아 그래요?"

전문 내용을 본 이승만의 얼굴에는 기쁨의 빛이 퍼졌다. 외아들 태산이를 데리고 지금 미국에 도착하여 LA에서 기차편으로 워싱턴에 오고 있다는 것이었다. 도착 예정 시간을 보니 바로 내일 새벽 다섯 시였다. 이튿날 이른 아침이 되자 이승만은 워싱턴의 펜실베이니아 역으로 나갔다.

"아버지!"

훌쩍 커버린 태산이었다. 아이의 손을 잡고 기차에서 내린 사람은 박용만이었다.

"태산아, 고생했지?"

아들을 껴안고 눈물을 글썽이던 이승만은 친구인 박용만에게 고맙다고 몇 번이나 치사했다.

"이 사람아, 나한테 고맙다고 하지 말고 자네

부친께 고마워하게. 오직 손자 하나 보고 위로 삼아 사시는 분인데 보내주셨으니 말이야. 자네 부인은 더하지. 통곡하더구면. 어쩌면 자기 생전에 두 번 다시 못 볼지도 모를 아들이라고 말이야. 위로하느라 좀 힘들었네.”

어렵게 미국으로 온 아들이었다. 태산이는 당분간 공사관의 대리 공사 가족과 함께 지낼 수 있게 했다. 김윤정 공사의 부인이 태산이를 맡겠다고 했던 것이다. 박용만은 LA로 돌아갔다. 한편 윤병구 목사는 왜 김 공사 대리가 일을 빨리 처리하지 못하는지 이상하다며 이승만에게 말했다.

“벌써 며칠째지요? 청원서를 국무부에 정식으로 제출하는 게 뭐가 어려워 안 되고 있느냔 말입니다.”

이승만도 이상하게 생각하고 김 공사에게 채근했다.

“접수만 하면 되지 않나요? 아직 접수를 안 한 모양이지요?”

“아닙니다. 빨리 해달라고 하셨을 때 바로 접수를 했습니다.”

"그럼 접수증은 있을 거 아닌가요?"

"문서 접수증은 받았지만, 외교문서로서 정식 접수증은 아직 받지 못했습니다. 국무부에서 차일피일 자꾸 미뤄서요."

"왜 미루지요?"

"정식 외교문서가 아니라는 겁니다. 본국 정부의 훈령이 있어야 대표성이 있는 외교문서로 접수되지, 지금 그 청원서는 민간단체에서 작성되었기 때문에 공문서公文書가 아니라 사문서私文書라는 것입니다. 다른 방법을 생각해봐주십시오."

어처구니없는 일이었다. 분명 루즈벨트 대통령은 국무부에 정식으로 접수를 시키면 바로 바람직한 처리를 하겠다고 약속하지 않았는가. 그런데 엉뚱한 벽이 가로 놓여 있을 줄은 몰랐던 것이다.

"이봐요. 그건 전 공사 신태무가 하던 소리 아니오? 사사건건 본국의 지시나 훈령 없이는 할 수 없다고 하던 말."

"그거하고는 다른 경우입니다. 이해하십시오. 저도 최선을 다하고 있습니다. 아무래도 국무부 내에 친일파들이 많아 방해 공작을 하는 듯합니다.

이승만은 자기의 비밀 임무를 수행하는 데 김윤정은 꼭 필요한 인물이라 생각했다. 그래서 그를 신임 공사로 추천했던 것이다. 그러나 윤 목사는 그를 의심했다.

"미국 정부 내에 친일파들이 많이 암약하고 있다는 건 알고 있지만, 청원서 접수까지 그들이 반대하고 있다고는 생각되지 않소."

"그럼 김 공사가 주일공사관에 매수되어 있을지도 모른다?"

"그렇소. 첫째는 전력이 의심스럽소. 일본 유학 중에 거기서 장학금을 받아 미국 유학을 왔다고 했지요?"

윤 목사의 예상은 적중했다. 시간이 흐를수록 대리 공사 김윤정은 본국의 지시나 훈령 타령만 했다. 이미 일본의 강압 때문에 한국 정부는 고문관 정치를 하고 있어 자력으로는 외무든 국방이든 아무 일도 할 수 없는 처지였다. 그런 지경인데 본국 정부 훈령 운운한다는 것은 어불성설이었던 것이다.

이미 김윤정은 신태무 공사 시절부터 주미 일본

공사관에 매수되어 첩자 노릇을 해오고 있었다. 그걸 이승만은 몰랐던 것이다. 김윤정은 친일 첩자였음이 그가 받은 일본 공사관의 서류 한 장으로 밝혀졌을 때도 김윤정은 당당했다. 만리타국에서 살자면 어쩔 수 없었다는 것이다. 부인도 나서서 남편 편을 들었다.

이 때문에 다시는 하와이 교민들이 결의한 청원서는 미 정부에 접수되지 못했고 루즈벨트 대통령도 만날 수 없게 되었다. 이승만의 비밀 임무 수행은 물거품이 되고 말았다. 이승만은 서재필을 만나 앞으로의 일을 상의했다.

"감이 이상하네."

"무슨 뜻이지요, 선생님?"

"국방장관 태프트가 동양제국 순방을 표면으로 내세우고 떠났지만, 동경에서 필요 이상의 시간을 끄는 것으로 보아 일본과의 비밀 회동이 있는 것 같아. 필리핀 땅을 두고 미국은 일본과 다투어오고 있었네. 또 하나 걱정은 지금 미국 정부 안에는 친일파들이 득세하고 있다는 점이야."

"우리들의 활동도 친일파와 일본인들이 가로막고

있다고 봐야 하는군요."

"김윤정 같은 자가 매수된 걸 보면 모르나? 이젠 어떡할 건가?"

"청원서 접수가 관철이 안 되면 바로 귀국하겠습니다. 돌아가서 싸워야지요."

"우남! 돌아가지 말게. 이곳에 남아 선진 학문을 공부하게."

"대학을 다니란 말씀인가요?"

"그거야. 앞으로의 우리 민족 지도자는 국제적 감각을 익혀야 하고 폭넓은 공부를 해야 하네. 멀리 내다보세."

서재필의 예상은 들어맞고 있었다. 미 국방장관 태프트가 동양 순방을 가장한 것은 일본과 비밀 협약을 맺기 위해서였다. 이른바 '태프트-가쓰라 협약'으로 불린 동경비밀협약은 태프트 장관과 일본의 가쓰라 수상이 만나 조인한 비밀 협약이었다.

그 협약 내용을 보면 일본은 미국의 필리핀 군도 점령과 지배를 인정하고 어떤 군사적 도발도 하지 않을 것을 약속하고, 미국은 일본의 조선국 병합과 만주의 이권을 취함에 반대하지 않고 지원하겠다는 내용이었다. 이 협약은 1905년에 체결되었는데 그로부터 20년 가까이 비밀에 부쳐졌다가 1924년에야 세상에 밝혀져 모두를 놀라게 하였다.

3. 가슴에 묻은 외아들 태산이

1905년 4월 25일. 그날은 부활절이었다. 부활절
예배를 드리기 위해 워싱턴에 있던 커버넌트 장로
교회에 갔다. 서재필이 소개한 목사 루이스 햄린이
시무하고 있었다. 햄린은 서재필이 재혼하게 되었을
때 주례를 선 목사이기도 했다. 아직 세례를 받지
못했다 하자 햄린 목사는 자기 교회로 와서 자기에게
받으라 했다. 이승만은 감리교 신자였지만 장로교
목사에게서 세례를 받게 되었다.

"이제 어떤 일을 하시게 됩니까?"

햄린 목사가 물었다. 이승만은 워싱턴에 남아서 대학 공부를 하고 싶은데 학비와 생활비가 없어 아무래도 포기하고 귀국해야 할 것 같다며 난처한 표정을 지었다.

"대학 공부라고요? 포기하지 마시오. 길이 없는 것도 아닙니다."

조지워싱턴 대학 찰스 니덤 총장을 만나 상의해 보시오. 내 친구입니다. 소개서를 써줄 테니 찾아가 보시오."

이승만은 눈이 번쩍 뜨임을 느끼며 햄린 목사의 소개서를 들고 조지워싱턴 대학 총장실을 찾아갔다. 소개서를 다 읽고 난 찰스 니덤 총장은 고개를 끄덕이며 호감을 보였다. 그러더니 비서를 시켜 루이스 윌버 학장을 불러오게 했다. 그가 오자 이승만을 인사시키고 햄린 목사의 소개서를 보게 했다. 그런 다음 이승만에게 물었다.

"동양학과 동양 정세에 누구보다 정통한 한국의 차세대 지도자라 쓰여 있군요. 증명할 만한 저술이나 활동 경력서 같은 게 있을까요?"

"활동 경력이라면 워싱턴에 와서 20여 개 단체의 초청을 받아 한국의 독립과 미국과의 관계라는 제목으로 수십 차례 강연한 내용이 있습니다. 한국 서울에는 지금 아펜젤러, 언더우드 등 미국 북장로회와 장로회가 파송한 선교사가 10명 이상 활동하고 있습니다. 그분들과 저는 두터운 친분이 있고 저는 미션스쿨인 배재학당 출신입니다. 그리고 서구 열강이나 러시아, 일본의 침략으로부터 한국의 독립을 지키자며 자유민주주의 민권 계몽을 위해 싸우다가 5년 7개월 동안 감옥살이도 했습니다. 〈제국신문〉을 발행하여 주필을 맡고 약 75편의 논설문을 집필 발표했으며, 주 저서主著書로는 〈독립정신〉이 있는데 아직 출판을 못 하고 있습니다."

"좋습니다. 다음 주 월요일에 결과를 통보해드리겠습니다."

월버 학장의 말이었다. 약속한 날 다시 찾아간 이승만에게 월버 학장은 놀라운 소식을 전해주었다. 졸업 때까지 학비는 전액 면제이며 1학기당 도서관

사용료는 1달러만 내면 된다는 특혜를 베풀었던 것이다. 게다가 신입생으로 1학년부터 시작하는 게 아니라 경력을 인정하여 2학년 가을 학기부터 편입을 허가한 것이었다. 이건 그야말로 파격이었다.

편입학하자마자 과중한 공부가 기다리고 있었다. 10과목을 이수해야 진급하게 되어 있었다. 영어, 논리학, 미국사, 불어, 철학, 천문학, 경제학, 사회학, 유럽사, 셈어히브리 古語 등이었다. 학과의 새 친구 중에는 메리트 얼이 있었는데 그의 여자 친구 W. 킹과 함께 이승만에게 아주 친절하여 가까워지게 되었다.

모든 학비는 무료였지만 문제는 생활비였다. 일정한 수입이 없던 이승만은 유일한 생계수단이 초청 집회 연설이었다. 미국에 온 뒤에 이승만은 유력한 신문에 여러 번 보도되고 혹은 인터뷰를 하면서 서서히 알려지기 시작했고, YMCA가 주관하는 집회 연사로 초청되어 연설하여 인기 강사, 실력 있는 강사로도 알려졌다. 그는 대중 연설에 탁월한 능력을 갖추고 있었고 연단을 좋아했다. 종로 거리에서 만민공동회가 열렸을 때 수많은 청중의 가슴을 울린 그의 연설은 최고의 연설가, 대중 정치가란 평을 들었었다. 배재학당 졸업식장에서 행한 영어 연설 같은 경험 때문이었는지 미국에 와서도 정확하고 유창한 영어를 구사하며 한국과 한국 문화를 소개하고 한국의 독립 유지는 미국의 국익과도 일치된다는 논리로 강연하곤 했다.

미국의 유력지 중 〈피츠버그 텔레그래프〉는 "동양에서 온 설득력 있는 젊은 연설가"라 극찬했고, 1907년 6월 13일 자 〈워싱턴 포스트지〉는 YMCA에서 '조용한 아침의 나라 한국'이란 제목으로 행한 이승만의 강연 평을 다음과 같이 실었다.

이승만의 강연은 조선의 풍물 사진 100여 장을 슬라이드로 소개하며 진행하였다. 조선의 상류사회 양반댁 부인들은 외출이 절대 금지되어 있기 때문에 그 사진을 보여줄 수 없고 단지 중류사회 부인들 사진만 보여줄 수 있는데 그나마 모습 전체를 보여주지 못해 유감이다. 왜냐하면 외출할 때 그 부인들은 장옷이라 하여 얼굴에 뒤집어쓰고 나오므로 눈만 빼꼼히 겨우 볼 수 있기 때문이라고 해설하여 청중들을 웃겼다. 웃기면서도 밑바닥에는 진지한 연설의 주제와 메시지가 담겨 있어 그의 연설은 격조가 있었으며 참석한 수백 명의 청중은 이 조선의 젊은 연사에게 기립박수로 갈채를 보냈다.

연설 집회에 한 번 나가면 5달러에서 10달러를 받았다. 나중 세월이 흘러 조지워싱턴대를 졸업하고 하버드대를 다닐 때나 프린스턴 대학에 다닐 때쯤엔 YMCA뿐만 아니라 미국 동부 지역의 각종 정치단체와 사회단체, 봉사단체 등에서 초청하여 유명 연사가 되었는데 그때는 50달러 혹은 100달러까지도 받았다.

메스컴에 알려진 인기 때문이기도 했지만 한 번 강연을 들어본 유력 인사들이 추천하는 일이 많아져서였다. 한국 쪽에서는 언더우드 선교사 같은 사람이 미국 단체에 추천했고 나중 그가 다니던 프린스턴 대학의 페틴 총장은 "이승만은 흥미 있고 유익한 연설로 대중의 인기를 얻는 탁월한 재능을 가지고 있다"라고 했다.

그런가 하면 페틴 총장에 이어 프린스턴대 총장이 되었으며 훗날 미국 대통령을 지낸 W. 윌슨은 이승만을 평가하여 각종 단체의 연사로 추천하곤 하였다. 수입도 그에 따라 비례하여 워싱턴대 재학 중인 초창기에는 수입이 적어 하루 사과 한 알로 배를 채우며 강의실을 찾는 일도 비일비재했다. 혼자 굶주리는 건 그래도 참을 만했으나 아들 태산이까지 데리고 있으니 그 가난은 말로 표현할 수가 없었다. 아들을 불러들일 때는 김윤정 대리 공사의 부인이 자식처럼 데리고 있겠다고 해서였다. 그러나 김윤정의 친일 배신 문제로 극도로 사이가 나빠지자 승만은 아들을 데리고 그 집에서 나왔던 것이다.

보이드 부인은 부자였으며 온화하고 친절한 인품의 중년 부인이었다. 그녀는 필라델피아 오션글로브 에머리가街 바닷가에 멋진 별장을 가지고 있었다. 이승만이 보이드 부인을 알게 된 것은 G. S. 존스 선교사 때문이었다. 존스 선교사는 한국에 파송된 미감리교 소속이었으며 배재학당 학당장 대리까지 지낸 목사로 이승만을 아끼고 사랑해주던 교육자이기도 했다. 이승만이 미국으로 올 때 존스는 보이드 여사에게 소개장을 써주었다. 그래서 알게 된 것이다.

보이드 여사는 승만의 아들 태산이를 기꺼이 맡아주었고 학교에 가기 전 영어 공부를 시켜주기로 했다. 그리고 여름방학이 되면 항상 이승만에게 자기 별장을 사용하게 해주었다. 승만은 방학이 되어 별장에 가면 아들 태산이와 또래인 옆집 얼윈 군을 데리고 바닷가에 나가 수영도 하고 모래 놀이도 하며 연날리기를 가르쳐주며 행복한 시간을 보내곤 했다. 하지만 다시 워싱턴 학교로 돌아오면 지긋지긋한 가난이 또 기다리고 있었다. 그렇지만 주린 배를 움켜쥐고 그는 도서관에 틀어박혀 공부에 열중했다. 한 학년을 생략하고 편입을 한 자체가 무리수였다. 서양 학문에 대한 기본 지식이 미약했고 이수해야 할 과목이 너무나 생소하고 어려웠던 것이다.

그래도 미국 학생들에게 뒤져서는 안 된다는 생각이었다. 장학생이었던 것이다. 이승만은 이듬해인 1906년 2월 24일, 평생 잊지 못할 비극적인 슬픔을 겪게 되었다. 그 비극이 있기 전 이승만은 워싱턴에서 차로 두 시간쯤 떨어져 있던 메릴랜드 다인종 연구회관에 가 있었다. 강연 요청이 있었던 것이다.

회원 3백여 명 앞에서 이승만은 '은자隱者의 나라 한국'이란 제목으로 강연했다. 그런데 강연하기 전부터 까닭 없이 불안하고 마음이 흔들려 강연에 집중할 수가 없었다. 강연을 끝내고 워싱턴으로 돌아오는 마차 안에서는 더 불안하고 초조했다. 아버지가 쇠약해지시고 병치레가 많다는 박용만의 전언이 떠올라서였다.

'아버지께 안 좋은 일이 생겼나? 돌아가신 게 아닐까?'

틀림없다는 생각이 들어 서둘러 사는 곳으로 돌아왔다. 방 앞에 전보 한 장이 붙어 있었다. 얼른 뜯어 보았다. 그건 아버지가 아니라 아들 태산이가 위독하다는 보이드 부인의 전보였다. 승만은 놀라서 허둥지둥 역으로 뛰었다. 역은 멀지 않았던 것이다. 그러나 매표구는 막혀 있고 필라델피아행 마지막 기차는 밤 9시 30분에 떠나고 없었다. 이승만은 발을 동동이다가 전신국을 찾아갔다. 그는 황급히 늦어서 가지 못했다는 것과 아이의 경과는 어떤가를 전보로 물었다. 몇 시간 후에 답신이 왔다.

"디프테리아 감염. 고열이 떨어져 우선하니 더 지켜보고 연락하겠음."

위험한 순간은 넘겼다는 것이었다. 비로소 이승만은 두 다리에 힘이 빠지는 걸 느끼고 무릎을 꿇고 엎드리며 하나님께 기도를 올렸다.

"하나님 아버지, 제 아들을 살려주십시오. 고국에 있었더라면 잘 뛰놀고 공부하며 할아버지와 제 어미의 사랑을 독차지하고 있을 터인데 저의 대책 없는 고집 때문에 이 만리타국에 와서 죽음 직전에 이르렀나이다. 죽은 야이로의 딸도 살려주신 주님, 저희 태산이도 살려주시옵소서. 제 아이가 죽는다면 저는 아버님으로부터, 제 처로부터 평생 원망을 받습니다. 살려주시고 제 소원대로 이곳에서 학문을 닦아 조국의 동량지재棟樑之材가 될 수 있게 붙잡아주시옵소서."

밤을 꼬박 새우고 하회를 기다렸다. 수업도 빼먹은

채 집에서 소식을 기다렸다. 오후 2시쯤 보이드 여사가 보낸 전보가 도착했다.

"태산이가 다시 위독해졌으니 내일 3시 20분까지 도착하라."

그런 내용이었다. 이승만은 밤 9시 30분 필라델피아 막차를 타고 보이드 여사의 별장으로 향했다. 열차로 3시간 거리였다. 오션 글로브에 있던 보이드 여사의 별장에 도착한 것은 새벽 2시 30분이었다.

"우리 태산이는 지금 어디 있나요?"

이승만이 급한 소리로 묻자 보이드 여사는 이승만의 손을 잡아주며 침착하라 말했다.

"너무 놀라지 마요. 태산이는 요즘 전국을 휩쓸고 있는 전염병에 걸렸어요. 병명은 디프테리아랍니다. 백신도 없고 치료 약도 별로 없는 무서운 전염병이지요. 3일 전에 갑자기 고열로 쓰러져 아프기 시작했어요. 놀라서 필라델피아 시립병원에 입원을 시켰더니 의사는 법정 전염병이니 격리 치료해야 한다며 딴 병실로 옮겼어요. 면회도 할 수 없었지요. 만날 수 없게 하는 거예요. 용태는 의사의 말만 들어서 아는 정도였답니다. 위험한 순간이 계속되었는데 그저께는 그 고비를 넘겼다고 의사 선생님이 말씀하셨어요. 그래서 안심하라고 전보를 쳤던 거예요. 그런데 어제 갑자기 또 위독하다고 병원에서 연락이 왔었어요. 3시쯤 병원에 와달라고 말예요."

"그 아이는 지금 시립병원 격리 병실에 있단 건가요?"

"네."

"그럼 지금 빨리 가보지요."

보이드 여사와 함께 이승만은 아들이 입원한 시립 병원을 찾아갔다. 병원은 만원이었다. 디프테리아가 만연하여 입원하는 환자들이 수없이 많았다. 접수 부에서 태산이가 입원한 병실을 물었다. 그러자 간호 사는 차트를 들고 찾아보더니 고개를 흔들었다.

"보호자세요?"

"예, 내가 아비 되는 사람입니다."

"유감입니다. 오늘 새벽 2시쯤 사망하여 화장까지 끝낸 것으로 나와 있습니다."

"뭐라고요?"

이승만은 온몸의 힘이 일시에 빠져나가는 듯한

허탈감에 비틀거리며 현기증을 참았다.

"승만 씨! 진정하세요."

놀란 보이드 부인이 이승만의 몸을 잡아주었다.

'우리 태산이가 죽다니 그럴 리가! 그럴 리가 없다!'

세차게 머리를 흔들었다. 칼로 에는 듯 가슴이 아프고 저려서 견딜 수가 없었다. 순간 분노가 치솟았다.

"보호자도 오지 않았는데 죽었다고 화장부터 하다니 그럴 수 있는 겁니까?"

그러자 간호사는 전염병 격리 환자는 숨이 떨어지면 즉시 화장을 하여 처리하는 게 시 보건당국의 규칙이라는 걸 설명해주었다. 얼마 후 승만의 손에 들려 나온 것은 작은 나무 상자 하나였다. 그 상자 속에는 재로 변한 아들의 시신이 들어 있었다.

"먼저 돌아가시지요. 저는 병원 공동묘지가 있다니까 그곳에 가서 태산이를 묻고 곧 따라가겠습니다."

"그럴 수는 없지요. 함께 가서 묻어주기로 해요. 난 정말 미안해요. 내 잘못으로 아이를 잃은 것 같아서요."

"아닙니다. 전염병입니다. 부인 잘못이 어디 있겠습니까? 그동안 데리고 있어주신 것만도 은혜 감사합니다. 잊지 않겠습니다."

두 사람은 병원 묘역인 메모리얼 파크에 태산의 유골을 묻고 마차에 올라 별장으로 돌아왔다. 되짚어 워싱턴으로 돌아가겠다는 승만에게 하룻밤 쉬며 슬픔을 달래고 떠나라 했기 때문이었다. 오후가 되자 산책하고 온다며 승만은 보이드 부인의 별장을 나섰다. 2월 말이어서인지 날씨가 추웠다. 하늘은 당장에라도 눈송이를 쏟아낼 것처럼 찌푸려 있었다. 별장에서 백양나무 숲이 있는 언덕을 넘어가면 바닷가였다. 이곳에 오면 언제나 태산이를 데리고 바닷가를 나가 산책하는 행복감에 젖곤 했었다. 그러나 자기 손에는 지금 태산이의 손이 쥐어져 있지 않았다.

혼자서 백양나무 숲을 지나며 승만은 태산이를 불렀다.

"태산아! 태산아!"

먼저 백사장을 뛰어가던 아이의 뒷모습이 지금은

보이지 않았다. 승만은 텅 빈 모래사장에 주저앉았다. 시퍼런 파도가 곰처럼 일어서서 몰려오고 있었다. 승만은 다시 목이 터져라 아들의 이름을 불렀다. 그러면서 가까스로 참고 있던 눈물을 터트렸다. 한동안 그는 꺼이꺼이 목 놓아 울었다.

어떤 아들인가. 오죽 아들이 보고 싶었으면 옥 안에 불러들여 함께 자며 한 자 한 자 가르치고 애지중지 했겠는가. 태산이는 한성감옥의 마스코트였다. 혼자서 인기를 독차지했었다. 명석하고 명민하여 하나를 가르치면 셋을 알아 감옥 안의 스승들을 놀라게 했다. 감옥에서 함께 옥살이하던 스물일곱 명의 동지들은 모두 태산이의 스승이었다.

"미안하다 태산아! 아비를 용서해라. 아직 널 맞아들일 때가 니었는데 욕심이 앞서서 일찍 불러 들였다가 내 가슴에 묻었으니 얼마나 날 원망하겠 느냐? 미안하다. 내가 널 죽게 했구나. 그럴까 봐 네 어머니는 네가 가지 못하게 반대를 했을 것이다."

이승만은 품속에서 지갑을 꺼냈다. 그 속에는 꼬깃 꼬깃 접어서 간직한 편지가 들어 있었다. 이승만은 눈물을 닦지 못하고 편지를 펼쳤다. 태산이 미국에 올 때 그편에 승만에게 보내온 처 박승선의 편지였다.

"봉수^{태산}는 아버님과 당신의 전부이지만 나에게는 내 목숨입니다. 봉수 없이 어떻게 살아가지요? 지금 이사 아버님께서 계시지만 누워 사시는 날이 많아 언제 돌아가실지 모르는데 민망하오나 저 홀로 되면 무얼 믿고 의지하며 살아가야 하나요? 사람을 낳으면 한양으로, 말 새끼를 낳으면 제주로 보내야 한다는 말씀 모르는 바 아닙니다. 아들만은 신천지 미국으로 가 선진 문물을 배워야 큰 인물이 된다는 당신의 고집을 모른다거나 이해치 못하는 건 아니지만 다만 그 시기가 아니라는 겁니다. 그 아이 이제 여덟 살입니다. 당신은 미국에 있더라도 잠시도 한 군데 있지 못하고 돌아다니면서 나랏일을 하실 분입니다. 어린 봉수를 챙길 수 없을 것입니다. 고아처럼 되겠지요. 좀 더 장성해서 가도 늦지 않습니다. 고국으로 오시는 동지분이 있으면 즉시 봉수도 보내주세요. 간곡히 부탁합니다."

아내는 봉수가 미국으로 떠나올 때부터 앞으로

일어날 일을 예견하고 있었고 그 예견이 맞았던 것이다. 열여섯 동갑 나이에 가난하게 몰락한 양반집에 시집온 승만의 아내는 의젓하고 후덕하여 말수가 없었다.

열일곱에 아들 봉수를 낳아 시부모의 사랑을 받았고 남편과의 부부생활도 행복했지만, 승만이 배재학당을 졸업하고 가두정치가로 나설 때부터는 고생의 연속이었다. 시아버지는 생활력이 없는 한량이었고 시어머니가 삯바느질로 근근이 살아가는 처지였다. 승만의 아내 역시 손 놓고 있을 수만은 없어 마포나루까지 걸어 다니며 허드레 삯일을 하여 집안을 도왔다.

승만의 어머니만큼 유식하지는 못했지만, 그의 아내도 국문을 깨친 글을 아는 여인이었다. 승만이 민권계몽운동 한다고 집에 있는 날보다 집 밖에 있는 날이 더 많아지고 수배도 당하여 숨어 다니자 그의 아내는 처음엔 싫어했고 심각하게 불평도 했었다. 그러나 시간이 흐르면서 아내는 믿음 직한 원군이 되어주었다. 경무청 미결감에 있을 때부터 한성감옥에서 수감 생활하는 내내 아내는 시아버지를 도와 많은 사람을 찾아다니며 석방운동을 했다. 나중에는 상소문을 써서 인화문 앞에 나아가 머리를 풀고 가마니떼기를 깔고 앉아 복각 상소까지 하며 주위를 의식하지도 않은 채 남편의 구명을 애소하기도 했다.

그런 아내의 모습이 구겨진 편지 위에 어른거리자 이승만은 목이 메어 하늘을 올려다보았다. 울지 않으려 했지만 눈물이 흐르고 있었다. 나직이 아내의 이름을 부르며 용서를 빌었다. 찌푸린 잿빛 하늘에서는 함박눈이 소리 없이 내리기 시작하고 있었다. 승만은 하얗게 눈을 맞으면서도 일어날 줄을 몰랐다. 그렇게 외아들 태산이는 1906년 2월 24일, 열 살의 나이로 그의 가슴속에 묻혔다.

4. 눈물의 졸업식,
조지워싱턴 대학교

이듬해인 1907년 6월 5일.

마침내 이날은 조지워싱턴 대학교 컬럼비아대 졸업식이 있는 날이었다. 2학년으로 편입한 이승만은 아들을 잃은 슬픔과 굶주림, 영양실조와 싸우며 졸업 날까지 왔다. 졸업생은 모두 17명이었는데 이승만은 졸업할 수 있을지 없을지 알 수 없는 처지였다.

왜냐하면 영양실조로 건강이 악화하여 병을 앓는 바람에 몇 과목은 결강이 많았고 시험을 보긴 했지만

성적이 좋지 않을 것 같아서였다. 학우들도 그가 낙제할지도 모른다며 불안해했다. 하지만 이승만의 손에는 대망의 졸업장이 쥐어졌다. 평소 이승만을 아끼던 학장인 알렌 위버 같은 교수들이 아량을 베풀어주었기 때문이었다.

졸업식 후에 〈워싱턴 포스트〉지 지방판에서는 이렇게 기사를 실었다.

졸업장이 수여될 때 가장 뜨거운 박수를 받은 졸업생은 조선의 젊은이 이승만이었다. 그는 힘든 일과 병 때문에 결강이 잦아 어쩌면 졸업을 못 할지 모른다는 불안감에 시달려 왔기 때문이다.

이승만은 편입학한 지 1년 6개월 만에 명문인 조지 워싱턴 대학을 졸업했다. 그는 졸업을 앞두고 학업을 마치면 고국으로 돌아가 나라를 위해 일을 하겠다고 마음먹고 아버지 앞으로 편지를 보냈다. 그러자 아버지의 회신이 왔다.

"러일전쟁에서 이긴 일본은 이제 서서히 하나하나

조선 침탈을 가속하고 있으며 항일 애국 인사는 가차 없이 잡아 가두고 있다. 더구나 너는 그들의 말로 요시찰要視察 명단에 들어 있으니 귀국하지 않는 게 나을 것 같다. 과거의 행적을 문제 삼기도 하지만 미국에 가서 항일 연설회를 계속하고 있으니 더욱 노리고 있다는 것이다.”

그런 내용이었다. 위험하니 귀국하지 말라고 만류하고 있었다. 더구나 몇 달 전에는 갑자기 서울에서 온 세 사람이 이승만을 찾는 전보를 보내왔다. 뉴욕에서 만나자는 것이었다. 찾아온 사람들은 이준李儁과 이상설李上卨, 이위종李瑋鍾이었다. 이준은 독립협회 회원이었고 감옥 동지 사이였다. 왜 찾아왔는지 물어보니 그들은 중대한 임무를 띤 고종황제의 밀사로 네덜란드 헤이그로 가는 중이었다.

헤이그에서는 세계 만국평화회의가 열리게 되었는데 그걸 안 황제는 이 세 사람에게 일본의 야욕을 물리치고 독립을 보전할 수 있도록 의제로 상정해 달라는 청원서를 가지고 옵저버로 참석하도록 밀파密派했다는 것이었다.

"청원서 내용을 검토해보고 문장이나 문맥에 문제가 있는지 그 모든 걸 이 선생과 다시 상의하여 손을 본 뒤에 헤이그로 가라 했습니다."

이승만은 그 세 사람과 일주일 동안 함께 있으면서 고종의 청원서를 가다듬었다. 그 일이 끝나자 세 사람은 독일행 여객선을 뉴욕에서 탔다.

"일본의 방해가 심할 것입니다. 도처에 있습니다. 하지만 꼭 성공하십시오. 일본의 침략 야욕의 정체를 전 세계에 폭로해야 합니다."

"고맙습니다. 그럼 다시 뵐 날까지 안녕히 계십시오."

네 사람은 뉴욕 부두에서 헤어졌다. 돌아오는 길에 이승만은 〈크리스천 에드버케이트〉지 주필이던 A. B. 레너드가 극동을 여행하고 이삼일 동안 한국을 방문하기도 했는데 귀국해서의 오션그로브 강당 연설회에서 한국에 대한 망언을 하게 된 기사를 읽었다.

한국은 약소국으로서 자립할 힘이 없으며 일본이 대신 나서서 개혁을 주도하고 있다. 나는 일본이 영원히 한국을 통치하기를 바라고 있다. 그런 내용이었다. 그걸 읽은 이승만은 강력한 항의 서한을 레너드 앞으로 보냈다. 그러자 그 사실을 안 뉴욕의 〈모닝스타〉지에서 이승만에게 회견 요청이 왔다.

이승만은 좋은 기회라 생각하고 평소 가지고 있던 한국의 역할과 동북아시아의 세력 균형에 관해 명쾌한 논리로 인터뷰에 응했다. 한국은 4천 년 동안 단일민족 독립국으로 면면히 내려온 자주국인데도 불구하고 친일관親日觀을 가진 서구 지식인들이 아무것도 모르고 그들의 선전에 속아 일본의 주장에 따라 한국은 자주 자치 능력이 없으니 강국인 일본의 통치 보호를 받아야 한다고 말하고 있다.

이것은 한국 민족과 대한제국을 모독하는 발언이다. 서구 열강은 일본을 친구로 알고 그들의 팽창을 내버려두고 있는데 이는 장차 후회하게 될 판단 착오임을 깨닫게 될 것이다. 친구가 적으로 돌아설 수도 있기 때문이다. 따라서 열강은 한국을 독립국으로 우뚝 세워서 일본의 팽창주의 침략을 막아야 하며 그것만이 미국의 국익에 도움이 되는 길이다.

이승만의 그 인터뷰는 미국에 온 이래 초지일관

이었다. 동북아시아의 안정은 한국의 완전한 독립 밖에 없으며 그렇게 만드는 힘의 나라는 미국밖에 없다는 논리였다. 이승만은 그동안 수많은 집회에 초청되어 연설하고 워싱턴과 뉴욕을 비롯한 뉴잉글랜드 지방에 이어 유력지들과의 인터뷰 기회마다 그는 한국의 독립 필요성과 일본의 제국주의 침략에 대한 경고를 해왔다. 학생 신분으로 그 같은 활동을 했다는 것이 놀랍다고 우호적인 언론들은 평하고 있었다.

한편, 학부를 졸업한 이승만은 고민에 빠졌다. 워싱턴 대학에서 장학생이 되게 하여 공부를 시켜준 것은 졸업 후에 한국에 나가 선교 활동을 하라는 뜻이 들어 있었던 것이다. 하지만 귀국하면 감옥행이 뻔하니 갈 수도 없고 미국에서 할 수 있는 일도 당장 없었다.

이승만은 그렇게 된 이상 공부를 더 해야겠다는 생각을 하게 되었다. 메리트 얼을 비롯한 대학 친구들에게 상의했다.

"1년 반 정도 미국 대학 생활을 한 셈인데 난 정착을 못 하고 있네. 미국 생활을 배우고 정규적으로 대학교육을 받지 못해서 그런 거 같네. 그 아쉬움 때문에 석사과정을 더 해보고 싶다는 생각을 했어. 어떻게들 생각하나?"

"좋은 생각이야. 하지만 모교와의 약속에 문제가 생기지 않나? 졸업하면 한국으로 나가 선교 활동을 해야 한다는 조건이 장학금 수혜자에게 있을 테니 말이야."

"양해를 구하면 될 거야. 고국 사정이 나아져서 들어가도 된다 할 때는 언제든 귀국해서 약속을 지키겠다고 말일세."

"석사는 모교에서 할 작정인가?"

"아닐세. 보스턴으로 가고 싶네."

"하버드대에 가겠다고?"

"음."

"하버드에는 신학과가 없는데 그 학교로 간다면 자넬 지원하던 감리교 선교부에서는 자네가 신앙심을 잃게 될지 모른다며 싫어하지 않을까?"

"나도 그게 좀 걸리긴 해도 기왕 공부한다면 본격적이고 체계적인 인문학을 배우고 싶네. 하버드를 선택한 것은 두 가지 이유 때문일세. 첫째는 하버드는 미국 최고의 명문이라는 것. 또 하나는 워싱턴에서 좀 멀리 떠나가 공부하고 싶은 것. 오해하진 말게. 자네들이 싫어서가 아니라 워싱턴은 내게 아픔을 너무 많이 준 곳이었어. 난 사랑하는 아들을 잃었네. 그 충격에서 벗어나기가 어렵네. 멀리 가면 좀 잊힐까?"

그 아픔을 잊게 하려고 하기휴가나 겨울휴가 때면 보이드 여사가 별장으로 불렀지만, 이승만은 이 핑계 저 핑계를 대고 가지 않았다. 태산이 생각 때문에 가지 못했던 것이다. 가족처럼 대해주던 보이드 여사도 몇 년 더 살지 못하고 타계했다. 친구들도 더는 만류하지 않았다.

고국의 소식도 비보悲報의 연속이었다. 이승만이 고국을 떠나올 때는 민영환, 한규설 대감이 밀서를 써주고 딘스모어 의원에게 전해달라 해서 온 것인데, 김윤정 대리 공사의 배신으로 임무 수행이 수포로 돌아갔다. 엎친 데 덮친 격으로 그해 12월에는 민영환이 순국 자결自決했다는 슬픈 소식이 전해졌었다.

자결 한 달 전 나라는 국권을 잃어버리게 된 비극을

겪게 되었다. 외교 국방 등 주권을 일본에 빼앗기고 보호통치를 받아야 한다는 망국 조약을 강제로 체결했던 것이다. 이른바 '을사조약乙巳條約'이었다. 그리되자 고종황제는 마침 헤이그에서 만국평화회의가 열린다는 사실을 알고 이준 등의 밀사를 보내어 세계에 일본의 흉악성을 알리고자 했다.

이승만도 그 밀사들을 뉴욕에서 만나 청원서 내용 등을 다시 고치고 손을 보아 그들이 떠날 수 있게 했는데 회담장에 가서는 이미 제보를 받은 일본 측의 방해 공작에 걸려 청원서 접수는 물론 방청도 허락받지 못하고 말았다. 이 여파는 마침내 고종황제의 양위讓位 사건을 몰고 왔다. 내쫓김을 당했던 것이다.

그렇게 고국의 사정은 점점 더 어려워지고 있었고 나라는 망해가고, 각처에서는 항일 의병들이 들고일어나고 있다 했다. 총칼을 들고 나서고 싶을 만큼 의분에 떨었지만, 이승만은 만리타국에서 조국을 위하는 길은 묵묵히 실력을 쌓는 거라고 다짐했다.

이윽고 1907년 8월, 이승만은 북쪽 지방인 보스턴으로 근거지를 옮겼다. 그런 다음 하버드대 가을학기

대학원 등록을 마쳤다. 등록 과목을 보면 그의 학문적 성취 욕심이 확연히 드러난다. 헌법을 채택하기 전의 미국 역사인 '미국사'와 유트레히트 평화조약에서 현대까지의 '유럽사', '서구 열강의 팽창주의와 식민정책', 19세기 유럽 상공업계와 연관된 '경제학', '국제법과 중재', '미국의 외교정책' 등이었다.

하버드 대학을 다닌 기간은 만 1년이었다. 나중에 스스로 회고하기를 하버드 시절이 미국 생활 중에서 가장 힘들었다고 말할 정도로 이승만은 고생 속에서 학업에 열중했다. 대학이 있던 보스턴에는 찰스강이 흐르는데 런던을 닮아서 언제나 안개가 자욱하였다. 안개 속을 산책하며 현실도, 자신의 앞날도, 조국의 장래도 안갯속이라며 탄식했다.

하버드를 다니는 동안 생활비 조달을 위해서 교회 간증이나 사회단체 초청 연설을 제외하고는 도서관에서 살았다. 이 시기 이승만은 학우들과의 교제나 사교 활동 등에는 관심을 두지 않았다. 1년 동안에 모든 과목을 끝내야 했기 때문이었다.

밤을 새워 공부해도 따라가기 벅찼다. 겨울방학이

되어 다시 도서관에 다니는데 친구 박용만의 편지가 도착했다. 미주 전역은 물론이요 중국, 러시아 등 해외동포들의 대표자들을 콜로라도주 덴버시에 모아 해외동포들의 힘을 하나로 결집하는 대동단결의 세계대회를 구상 중이니 샌프란시스코로 와달라는 것이었다. 겨울휴가가 시작되어 거절할 수도 없었다. 이승만은 캘리포니아로 가기 위해 우선 뉴욕으로 갔다. 매디슨스퀘어가든 역 주변에 있던 중국식당을 찾아갔다.

"이게 누구야? 승만이, 오랜만이야."

웨이터로 일하고 있던 친구 최용진崔容振이 깜짝 반가워해주었다. 고국에서 독립협회, 만민회 등의 활동을 할 때 함께 고생하던 동지였다. 협회가 강제 해산된 후 수배를 당하자 일본으로 밀항했다가 미국으로 건너온 친구였다.

"조리실로 가세."

그는 승만을 이끌고 좁은 조리실로 들어갔다. 그런 다음 자기가 아는 간단한 중국요리를 만들어 가져다 놓았다.

"배고플 텐데 어서 먹어. 마침 아직은 저녁 식사 때가 안 되어 한가해 다행이다. 먹어!"

"고맙네."

이승만은 허겁지겁 접시를 비워냈다. 배가 몹시 고팠던 것이다. 끼니를 거를 때면 승만은 가끔 이 친구를 찾아오곤 했었다. 그때마다 먹여주고 갈 때는 단돈 몇 불이라도 꼭 손에 쥐여주곤 하던 친구였다.

"도대체 어떻게 된 사람이야? 여기 안 온 지 두 달도 더 됐어."

"미안해. 보스턴에 있었어. 그래서 못 온 거야."

승만은 워싱턴 생활을 청산하고 대학원 공부를 더 하기 위해 하버드 대학에 진학했고 그래서 보스턴 으로 거처를 옮겼다고 말했다.

"고생이 이만저만이 아니겠군. 뉴욕에 있는 우리 교민들뿐 아니라 자넨 우리 한국민들의 등불이야. 배울 수 있을 때 더 많이 배워 독립을 되찾는 데 앞장 서주게."

"고마워."

식당을 나오려 하자 그는 또 꼬깃거리는 지폐 몇

장을 승만의 주머니에 넣어주었다.

"자네도 어려운데 왜 이러나?"

"난 벌잖아? 또 오게!"

최용진과 헤어진 승만은 대륙횡단 열차를 타고 샌프란시스코로 갔다. 미국에 온 지 3년 만의 서부 지방 방문이었다. 그는 계속해서 뉴욕, 워싱턴 등 동부지역에만 있었던 것이다. 샌프란시스코에는 공립협회共立協會와 보국회保國會 등 한인 단체 두 개가 결성되어 활동하고 있었다.

이승만을 초청한 사람은 윤병구 목사와 이관용李觀鏞이었다.

"편지로 대강 얘기했지만, 나라의 운명이 풍전등화가 되었소. 해외에 사는 동포들도 강 건너 불구경하듯 할 수는 없지 않소? 동포들의 애국심과 힘을 하나로 묶어내자는 것이오. 대회 날짜도 나왔어요."

"언제지요?"

7월 11일부터 15일까지 5일 동안 덴버시에 있는 그레이스 감리교회에서 열기로 했소. 초청장을 보내고 있는데 도시별로 참가할 거요. 미주 각 도시를 비롯해 블라디보스토크, 파리, 런던, 상하이, 호놀룰루 등 대표자 36명을 초청했소. 캘리포니아 동포들하고 하와이 동포들이 경비를 모아주었고."

"큰일을 했구먼. 다 된 일에 난 왜 불렀소? 난 보스턴에서 지원하면 되는걸."

"음, 우남이 의장을 맡아주어야 한다는 의견이 지배적이요."

"내가 무슨 자격으로."

이승만은 사양했다.

"자격이 있지요. 우남은 명문대인 하버드생이 아닌가? 그뿐 아니라 대중 정치 연설가이고. 또 가장 유창한 영어 실력을 갖췄고."

"알겠소. 준비해보겠소."

이승만은 다시 보스턴으로 돌아왔다. 세계대회까지는 아직도 7개월이 남았던 것이다. 해가 바뀌어 1908년이 되었다. 3월 23일, 의외의 암살사건이 샌프란시스코 세인트 프린세스 호텔 앞에서 일어났다. 보국회 소속의 한국인 장인환張仁煥과 공립협회 소속의 전명운田明雲이 친일 고문관을 지낸

D. W. 스티븐스를 권총으로 사살했던 것이다.

스티븐스는 T. 루즈벨트 대통령의 친구이며 어버린 대학 졸업생으로 미국 내에서는 영향력이 큰 자이기도 했다. 그는 조선 정부의 외교부 고문관을 지낸 친일 인사인데 귀국해서도 일본은 자립할 수 없는 한국을 보호 통치해야 마땅하다며 연설을 하고 다녔다. 그 때문에 스티븐스는 교민사회의 미움을 사 장인환과 전명운의 저격을 받고 죽었던 것이다. 두 사람은 살인죄로 체포되어 법정에 서게 되었다. 교민들은 네이던 코글턴 등 세 명의 변호사를 선임하고 대비했다. 문제는 통역이었다. 통역을 정확하고 신속하게 유창하게 할 수 있는 영어 실력을 갖춘 한국인이 필요했다.

없었다. 마침내 이승만 외에는 없다는 결론을 내리고 이승만에게 재판 날에 샌프란시스코로 오도록 전보를 쳤다. 전보를 받은 이승만은 고민에 빠지고 말았다. 마음 같아서는 당장 그곳 법정으로 가 통역을 해주고 싶었지만, 현실이 그렇지 못했다.

재판은 4월 중순에 잡혀 있었다. 학기 중이고 수업을

빼먹을 수는 없었다. 하루 이틀 비우는 게 아니고 적어도 사오일은 잡아야 할 만큼 보스턴과 샌프란시스코는 미 대륙의 동쪽에서 서쪽 끝에 있었다. 어떤 일이 있더라도 석사과정은 1년 안에 끝내기로 작정하고 있었다. 빨리 끝내야 뭐든 할 수가 있었던 것이다. 게다가 그가 쓰고 있는 석사학위 논문을 속히 완성해야 하는 이중 부담이 크게 짓누르고 있었다.

'그렇더라도 네가 장차 독립을 찾은 한국의 지도자가 되려면 여기서 구차한 이유 때문에 통역을 거부해서는 안 된다. 수많은 교민과 조국의 동포들이 귀를 세우고 있을 것이다. 그런데 이승만이 통역을 거부했다. 그럼 그 비난은 족쇄가 되어 평생 내 발목에 채워질지도 모른다. 석사학위, 박사학위가 무슨 의미가 있는가? 애국을 위해 장인환과 전명운은 목숨을 초개처럼 버렸다. 그들도 알고 보면 나 못지않은 피치 못할 사정이 있었을 것이다. 그럼에도 사형의 길로 나섰다. 바로 샌프란시스코로 가라.'

마음속에서는 그렇게 갈등을 일으키고 있었다. 모든 걸 다 버리고 샌프란시스코로 가기로 했다. 막상

나서려다가 그는 주저앉고 말았다.

'배신자라 해도 어쩔 수 없다. 나는 그들의 변호사가 아니다. 다만 내가 할 수 있는 일은 통역이다. 통역은 나 말고도 누구든 영어를 알면 할 수 있다. 그 단순한 일에 다 팽개치고 나선다는 건 어리석은 일이 아닐까?'

이승만은 드디어 결심하고 답장을 썼다. 학기 중이고 장기결석을 하면 유급이 되고 학교는 처음부터 다시 시작해야 한다. 그리되면 금전적인 손해와 시간적인 손해가 많이 발생한다. 아직 시간 여유가 있으니 다른 통역사를 찾아보아달라고 거부 의사를 밝혔다. 그 후 여러 번 다시 고려해보고 와달라는 연락을 받았지만 이승만은 응하지 않았다. 자기 판단으로 결단을 내리면 그것이 옳은 일이건 그른 일이건 여간해서 변경하지 않는 고집이 있었다.

5. 하버드대 석사,
프린스턴대 철학박사 이승만

이승만이 다시 캘리포니아를 찾은 건 그로부터 몇 달이 지나서 7월 9일경이었다. 덴버시에서 개최되는 세계 애국 동지 대표자 대회에 참석하기 위해서였다.

기다리고 있던 윤병구 목사 일행과 합류한 이승만은 대회 장소인 콜로라도주 덴버시로 옮겼다. 대회는 7월 11일부터 5일 동안 개최되었다. 비록 참석자 수는 적었지만 미주는 물론 세계 각지에서 온 대표자 36명이 대회장에 모였다. 이승만은 대회장으로 선출되어 개막 연설을 하게 되었다.

"일본 제국주의자들은 영토 팽창주의에 사로잡혀 이웃 나라까지 집어먹으며 약육강식弱肉强食의 말도 안 되는 루디아드 커프링스의 '백인의 역할'이란 이론을 앞세워 칼을 휘두르고 있습니다.

세계 역사상 칼로 지배하는 자는 칼로 망한다 했습니다. 우리 한국은 4천 년의 긴 역사를 가진 자주 독립국이며 문화민족의 국가이며 수백 차례나 외침을 받았지만, 끝까지 살아남은 저력의 나라입니다. 미개한 부족국가였던 일본에 선진 문화를 전해주고 가르친 나라가 한국입니다. 그들은 은혜를 원수로 갚고 있는 것입니다. 그리하여 지금 우리 조국의 운명은 백척간두百尺竿頭에 섰습니다. 나라 안에서는 항일 의병들이 일어나 피 흘리며 싸우고 있다 합니다. 해외에 사는 우리도 일어서서 싸워야 합니다. 단합하지 못하고 사분오열되어 있는 전 세계 우리 교민 단체가 하나로 뭉쳐야 합니다. 그러기 위해 오늘 모인 것입니다."

개막 연설이 끝나자 귀빈으로 참석한 인사들

가운데 스탠퍼드 대학교의 S. 조던 총장이 일어나 축사를 했다. 대회는 대성황은 이루지 못했어도 알차게 끝이 났다. 그들은 해외의 모든 교민 단체를 하나로 통합하고 출판사를 두어 일본의 동향과 세계 정세 등을 알리고 한국의 독립을 지키는 방안을 연구 출판하자는 결의문 채택으로 대회를 마무리했다.

7월 12일 자 〈덴버 리퍼블릭〉지는 이렇게 보도했다.

대회의 목표는 쓰러져가는 한국을 다시 일으켜 세우고 일본인들이 씌우고 있는 굴종의 멍에를 벗어던져 버리자는 것이다. 그들은 목표를 위해 환상을 버리고 냉정한 열정으로 진지하게 회의를 진행하고 있다.

덴버 대회를 마친 이승만은 학교로 돌아갔다. 그해 8월 이승만은 마침내 말로는 형언할 수 없는 고생 끝에 하버드대 석사과정을 졸업하게 되었다. 고생이라는 것 중에는 하루하루 연명해야 하는 식비까지도 포함되었다. 오후 다섯 시가 지나면 과일가게들은 신선하지 못한 상한 과일들을 가게 밖에 내놓았다.

그걸 집어가는 사람들은 빈민가의 흑인들이었다. 이승만도 단골손님이었다. 그것도 늘 자기 차지가 되는 게 아니어서 어느 때는 썩은 사과 한 알을 먹고 하루를 버티며 공부를 해야 했고 날달걀 한 알을 먹고 하루를 버티며 살기도 했다.

하버드를 졸업하자 그는 그제야말로 귀국해야 한다고 생각했다. 그러나 서울의 부친은 지금은 들어올 때가 아니니 더 기다려보라고 답장을 해왔다. 조국은 이미 을사늑약 이후 일본의 손아귀에 들어가 식민지로 변해가고 있었고 외교 국방 재무는 물론 경찰 치안권까지 빼앗겨 한국 사람들의 입과 귀와 눈을 가리기 시작했다. 정치운동이나 집회결사集會結社의 자유마저 봉쇄당했다. 일본 헌병들이 경찰권을 장악하고 있었다. 이런 상황에 귀국한다면 승만은 그냥 감옥행이라고 그의 부친은 생각했던 것이다. 정의감이 강하고 외곬인 아들이 돌아온다면 그의 성격으로 보아 참고 엎드려 조용히 지내지 못하고 앞장서서 길거리로 나서서 일제와 맞서 싸울 것으로 본 것이었다.

절망에 빠진 이승만은 일단 귀국은 접기로 하고 뉴욕으로 갔다. 취직이라도 하여 생활비를 벌어야 한다는 생각에 뉴욕시 구직자 원호회의 도움을 받아 몇 군데 직장에 이력서를 제출하게 되었다. 그러나 하나같이 거절이었다. 대한제국이 망해서 이승만은 무국적자가 되었고 국적이 없는 자는 불법체류자이니 의법 처단된다는 것이었다. 이후 30년 넘게 미국에서 망명 생활을 하면서 취직을 못 하고 산 것은 바로 무국적자란 꼬리표 때문이었다. 당장 가 있을 만한 곳이 없었다. 이윽고 그는 컬럼비아 대학교 유니온 신학교를 생각하고 신학교 기숙사를 찾아갔다.

"컬럼비아 대학에서 박사과정을 하고 싶습니다. 그 준비를 위해 기숙사에 잠시 있도록 해주십시오."

이승만은 학교에서 승낙을 받고 유니온 기숙사에 들어갔다. 그러던 어느 날 우연히 기독교 장로교 해외 선교부 사무실에 들르게 되었다.

"이게 누구시오? 승만 씨 아니시오?"

누군가 사무실에 역시 손님으로 와 앉아 있던 백인 남자가 반갑게 손을 내밀었다.

"홀 목사님 아니십니까? 반갑습니다."

그 역시 반갑게 손을 맞잡았다. 미국 장로교 한국 지부 선교위원으로 서울에 와 있던 어니스트 홀 목사였던 것이다.

"언제 미국으로 돌아오셨습니까?"

"작년에 왔습니다. 동아프리카 쪽으로 다시 나갈 것 같습니다."

그러면서 홀 목사는 이승만의 근황을 물었다. 그는 하버드에서 석사까지 했는데 조국의 정정이 불안하고 험하여 돌아갈 수도 없고 그렇다고 미국에 남아서 뭘 할 수 있을지 막막하여 고민하고 있음을 털어놓았다.

"승만 씨는 컬럼비아대 유니온 신학교에 다닐 사람이 아닙니다. 프린스턴 대학에 맞는 인재요."

"하지만……."

"염려 마시오. 프린스턴 신학대 찰스 어드맨 학장과 대학원장 앤드류 웨스트를 잘 아니까. 특히 웨스트는 친한 친구랍니다. 내가 소개할 테니 그리 알고 준비하

265

고 있어요.”

고난 속에서의 도움이 어디서 오는지는 알 수 없었지만, 고비 때마다 도움의 손길이 잡아주고 일으켜 세워주곤 하는데 이승만은 감사할 따름이었다.

드디어 헤어진 지 이틀 만에 A. 홀 목사는 프린스턴에서 등기 속달 우편을 보내왔다. 그 편지 속에는 뉴욕에서 프린스턴까지의 기차표 한 장과 열차 시간표가 들어 있었다. 몇 시 차로 오겠는지 전보를 치라는 것이었다. 이승만은 바로 전보로 연락하고 기차에 올랐다. 프린스턴 역에는 홀 목사가 마중 나와 있었다.

“목사님 고맙습니다.”

“내가 안내를 할 테니 프린스턴 대학으로 갑시다.”

학교에 도착하자 신학대 학장실로 데리고 갔다. 그곳에서 이승만은 C. 어드맨Erdman 신학대 학장과 신학대 대학원장 A. 웨스트West 박사를 만나 인사하게 되었다. 그들은 이미 홀 목사를 통하여 이승만에 대해서는 충분히 들어 알고 있었다.

“이승만 씨에 대해서는 홀 목사를 통해 잘 알고

있습니다. 그리고 한국의 선교 사업이 얼마나 활발했는지도 알고 있고, 승만 씨가 자유민주주의를 위해 싸우다가 6년 가까운 감옥살이를 하고 나왔다는 것도 압니다. 옥중에서 40여 명의 죄수들을 전도하여 기독교 성도로 만들었다는 공로도 인정합니다. 그런 인재를 우리 학교에 받아주게 되니 자랑스럽군요."

"과찬이십니다."

"학사 석사를 통틀어 2년 반 만에 마스터했다는 학업 성취 성과가 놀라울 뿐입니다. 그래서 이미 대학원장 웨스트 박사님과 학장인 내가 상의하여 이렇게 조치를 취하였습니다. 박사과정 마칠 때까지 기숙사는 무료 사용이며 오늘부터라도 입실할 수 있습니다. 박사과정의 전공 학부 선택은 귀하의 의사에 따르겠습니다."

뜻밖의 고마운 배려였다. 이승만은 곧 기숙사로 옮겨 계절학기 수강을 하기로 하고, 정치사회학부政治社會學部에 들어가 국제법國際法을 전공하며 부전공으로는 미국사 및 서양사를 선택 신청하여 공부하게 되었다. 신학부神學部의 특혜를 받았으면서도 신학 쪽을 택하지 않고 정치학 쪽으로 전공을 바꾼 것은 그의 새로운 도전이 무엇이었나를 말해 주는 대목이다.

신학대 도움을 받은 것은 단순히 학교의 기숙사 칼빈 클럽에서 숙식 문제를 해결받을 수 있었기 때문이라고 볼 수 있었다. 한편 이승만은 박사학위를 받기 위해 공부한 2년 동안의 프린스턴 시절이 가장 행복한 시간이었다고 회고했다. 하버드대에서와는 달리 적극적으로 동료 학생들과 교제를 하고 친하게 지냈다.

하지만 자기도 모르는 한계가 있었다. 그것은 자기는 늦깎이 노학생老學生이라 젊은 그들과 어울리기에는 어딘가 언제나 어색한 부분이 있었다. 동급생보다 그의 나이는 십여 세 연상이었던 것이다. 매주 수요일 밤이면 칼빈 클럽의 기숙생들은 클럽 라운지에 모여 파티를 열곤 했다.

노래하고 춤을 추며 기타를 연주하고 젊음을 만끽하며 가지고 있는 장기를 자랑하기도 했다. 봉건사회에서 있다가 미국에 온 이승만으로서는 그런 자리가 촌닭 관청에 간 꼴村鷄官廳이었다. 동료는 이승만에게 노래해라, 춤을 춰라, 술에 취하여 권하지만 내놓을 만한 것이 없었다.

어쩔 수 없이 이승만이 강권을 받아 일어나면 자신의 주특기인 짧은 연설을 택했다. 제목은 언제나 '고요한 아침의 나라 한국'이었다. 그게 아니면 W. 워즈워스의 시집을 펴들고 시를 낭독하곤 했다. 동료는 휘파람을 불며 야유를 하곤 했다. 노래를 하라는 것이었다. 그래도 좌중의 인기를 모은 이승만의 노래는 '아리랑'이었다. 아리랑을 부르면 모두 잠시 숙연해지고 박수를 치고는 하였다. 그래서 인지 프린스턴 시절 이승만의 별명은 아리랑이었다.

이승만은 하버드에서처럼 열심히 공부에 전념했다. 1908년 가을 첫 학기에는 '국제법'과 '미국사', '철학사' 등을 수강했다. 동급생보다 이승만이 더욱 친밀하게 사귀게 된 사람들은 신학대 워드맨 학장과 대학원 원장 웨스트 박사였다. 그 두 사람은 이승만에게 은인이며 평생 친구가 되기도 했다.

그리고 프린스턴 대학에서 만나게 된 사람 중에

가장 잊을 수 없는 스승은 총장인 우드로 윌슨이었다. 그는 이승만을 좋아했고 이승만을 이해했으며 아껴주었다. 총장을 그만둔 윌슨은 나중에 백악관으로 들어가 미국 대통령이 된 인물이었다.

월슨 총장은 이승만이 정치 투쟁을 하다가 6년여 동안 감옥에서 고생했다는 것을 높이 평가하고 있었고 독실한 기독교인이라는 걸 좋아하고, 특히 대중 연설에 능하다는 것과 최단 기간에 학사와 석사 과정을 마친 수재라는 사실에 감탄하였다. 워드맨 학장이나 웨스트 대학원 원장도 외부의 집회가 있을 때면 이승만을 강연 연사로 추천을 했지만, 월슨 총장은 아예 자신의 직함과 이름으로 이승만의 추천장을 써줄 정도로 이승만을 평가했다.

이승만 씨는 프린스턴 대학원의 학생이며 우수한 능력과 고결한 성품으로 우리에게 호감을 주었습니다. 그는 놀랄 만큼 자기 조국인 한국의 현 상황과 동양의 전반적인 정세에 정통합니다. 그리고 그와 같은 정세 일반을 대중에게 전하여 많은 감명을 주었습니다. 그는 애국심이 강한 청년으로 동포에 대해 열렬하고 유익한 일꾼입니다. 동양을 알고 연구하고 보존하지 않으면 안 되는 이유와 그것들이 우리 미국의 권익에 얼마나 큰 영향을 미치는지 배우고 싶어 하는 사람들에게 나는 기꺼이 그를 추천하는 바입니다.

(프린스턴 대학교 총장 우드로 윌슨)

윌슨 총장은 이승만을 좋아해서 때때로 가족 파티에도 부르곤 했다. 윌슨 집에는 아들이 없고 딸만 셋이었는데 딸들이 예뻤고 아주 쾌활했으며 음악을 좋아했다. 그래서 주말이면 가족들이 피아노 앞에 모여 앉아 함께 노래 부르고 즐기며 식사를 하곤 했다. 총장의 집에는 특별히 초대되는 몇몇 학생들이 있었는데 이승만은 총장 부처에게만 인기가 있을 뿐 딸들에게는 별로 인기가 없었다. 노래도 할 줄 모르고 춤도 출줄 모르며 언제나 근엄하게 앉아 있었기 때문이었다. 그런 그를 외부 손님에게 소개할 때 윌슨 총장은 "장차 한국의 독립을 되찾을 지도자"라고 진담 반 농담 반으로 말하며 유쾌하게 웃었다.

그럴 때의 월슨을 보면 마치 집주인과 손님이 바뀐 것처럼 보인다고 딸들이 말했다. 아버지 월슨은 쾌활하고 농담을 좋아하는 젊은이 같고 이승만은 반대로 근엄한 아버지 같다는 것이었다. 그 집 딸들은 차츰 이승만을 좋아하고 따르게 되었으며 이승만에게 노래를 가르쳐주겠다고 나섰다. 이때 배운 노래가 찬송가를 제외하곤 처음으로 배운 미국 민요였다.

　'매기의 추억'이란 민요였는데 평생 이승만이 부르는 애창곡이 되었다.

옛날에 금잔디 동산에
매기 같이 앉아서 놀던 곳
물레방아 소리 들린다
매기 내 사랑하던 매기야
동산 수풀은 없어지고 장미꽃은 피어 만발하였다.
물레방아 소리 들린다
매기 내 사랑하는 매기야.

　아무튼 프린스턴의 2년간 학창 시절은 숙식은

걱정할 필요 없고 오직 즐거운 마음으로 학업에 열중하면 되는 행복한 시기였다. 조지워싱턴 대학이나 하버드 대학에 다닐 때까지만 해도 학비는 장학금으로 해결했어도 생계비는 자신이 해결해야 해서 늘 주리고 어딘가에 쫓기며 학교생활을 해야 했다.

그 때문이었는지 잠시 왔다 가는 나그네처럼, 물 위에 뜬 기름처럼 미국 생활이나 문화에 젖어들 수가 없었다. 더구나 동양적인 사상이나 지식이나 가치관을 가진 그로서는 서양적인 문화에 쉽게 동화될 수 없었다. 하지만 프린스턴 시절에는 비로소 자유롭고 민주적인 미국 문화와 선진 학문을 배워감으로써 동서양을 아우를 수 있는 독특한 이념이나 사상체계를 세울 수 있었다. 그것이 큰 소득이었다.

이승만은 1909년 가을학기에는 '1789~1850년까지의 미국사'와 '국제법'을 수강하고 10월에는 박사학위 취득 자격시험을 보아 합격하고, 본격적으로 박사학위 논문 집필에 들어갔다. 그 논문이 완성된 것은 1910년 6월이었다. 학위 논문 제목은 〈미국의 영향을 받은 중립Neutrality as in-fluenced by the United States〉이었다.

박사학위에 통과한 논문은 웨스트 대학원 원장의 주선으로 프린스턴 대학교 출판부에서 출간되었다. 그 후 논문 책은 잘 팔려나가기까지 하여 몇 년 동안 꾸준히 저자 인세印稅를 받기도 했다. 이승만은 그것이 자랑스럽고 기뻐서 처음 받은 인세 1달러 80센트와 2달러 25센트짜리 수표를 스크랩하여 평생 간직하기도 했다.

논문이 알려지자 이승만은 국제적 중립 문제의 '탁월한 권위자'로 자리매김되기도 했다. 왜냐하면 제1차 세계대전 중 공해상의 중립 문제가 두드러져 이승만의 연구가 빛을 보게 된 것이다.

1910년 6월 14일.

그토록 기다리던 대망의 프린스턴 대학원의 졸업식이 학부 졸업식과 함께 교정에서 열리게 되었다. 웨스트 대학원장은 이승만이 입은 가운 위에 프린스턴 전통의 문양이 수놓인 어깨띠를 내려뜨려주었고 우드로 윌슨 총장은 직접 철학 박사哲學博士 학위증을 수여하고 따뜻하게 손을 잡아주었다. 2년 만에 받게 된 박사학위였다.

미국에 와서 채 5년이 안 된 기간에 이승만은 학사에서 박사까지 모든 학업의 과정을 다 마친 셈이었다. 학위식을 끝내고 내려왔다. 학부 졸업생들이 축하해주는 가족들의 품에 안겨 기쁨에 떠들고 있었다. 돌아보아도 이승만에게는 축하해줄 가족이나 친지는 없었다.

쓸쓸하게 돌아서는데 누군가 이쪽으로 뛰어오며 큰 소리로 불렀다.

"어이, 이승만 박사! 축하하네! 축하! 조선의 영광일세!"

승만의 목에 화환을 걸어주고 꽃다발을 안겨주는 사람은 뉴욕에서 온 친구 최용진이었다.

"이 사람 식당 웨이터 잘리고 싶어 자리를 비웠나?"

"오늘은 마침 하나님이 도와서 비번非番일세. 비번이 아니라도 와야지 무슨 소린가?"

"고맙네. 자네가 있어 이 박사학위가 더 빛이 나네."

이승만은 최용진을 포옹하며 고마워했다.

6. 조국이 부른다

프린스턴 대학에서 박사학위를 받고 났던 날부터 두 달여 만인 1910년 8월 30일. 이승만은 충격적인 슬픈 소식을 〈뉴욕 타임스〉를 통하여 접하게 되었다. 그동안 보호통치로 조선을 다스리던 일본은 1910년 8월 29일, 조선 정부와 '한일합방조약韓日合邦條約'을 체결케 되어 조선은 일본의 통치를 받는 속국屬國이 되었다는 기사였다.

'이럴 수가! 하늘도 무심하시구나!'

억장이 무너지는 듯한 충격으로 이승만은 식탁에 앉아 신문을 보다가 포크를 떨어뜨렸다. 언젠가는 올 것이라 예상은 하고 있었지만 이렇게 빨리 닥칠 줄은 몰랐던 것이다. 나라를 잃은 것이다. 대한제국이 완전히 망한 것이다. 아니, 조선이 망한 것이다. 일본은 메이지유신으로 근대화하면서 맨 먼저 탐을 낸 것이 한국이었다. 한국을 병탈하면 모든 자산은 침략자 일본의 동력動力이 될 수 있다는 게 정한론자들의 주장이었다. 그로부터 일본의 한국 침략은 강화조약 체결을 시발점으로 청일전쟁에 이김으로써 한국에 대한 종주권을 확보하고, 러일전쟁이 일어나자 한일의정서를 채결케 하여 한국 내의 군사 요지를 일본군이 사용할 수 있게 하였다.

한일의정서는 곧이어 '제1차 한일협약'으로 바뀌어 일본은 본격적인 침략의 야욕을 드러냈다. 제1차 한일협약은 일본의 입맛에 맞는 자들을 조선 정부 내각에 고문으로 앉히고 이른바 '고문정치顧問政治'를 하여 국왕의 권력을 빼앗아버렸다. 그런 다음

'을사보호조약乙巳保護條約'을 협박과 매수 등 강제로 체결하여 국가의 외교권과 국방권, 경찰권까지 빼앗아 통감부統監府를 두어 일본이 통치를 시작했다.

그러다가 일본은 올해 들어 급기야 '한일합방 조약'을 체결하여 이제는 통감부를 '총독부總督府'로 바꾸고 조선을 식민지, 일본의 속국으로 만드는 조약을 맺었다는 것이었다.

"하나님! 이제 돌아갈 제 조국이 없어졌습니다. 불쌍한 제 나라와 백성을 주님의 강한 팔로 붙들어 주옵소서. 결코, 2천만 우리 동포들은 오늘의 이 치욕을 잊지 않을 것입니다. 국권을 회복할 수 있게 하여 주옵소서. 권능을 내려주시고 이길 힘을 주시옵소서."

이승만은 방에 들어가 무릎을 꿇고 눈물을 흘리며 기도를 시작했다. 그 기도는 3일 동안이나 계속되었다. 3일 동안 침식을 하지 않았다. 마지막 날 환상 속에 흰옷을 입은 주의 모습을 보았다. 저는 이제 어찌 해야 합니까. 부르짖었다. 그러자 주는 네 어머니 품속으로 돌아가라 했다.

"어머니가 기다리지 않느냐. 품속으로 가라!"

마치 폭군 네로에 의해 불타오르는 로마를 빠져 나오며 아비규환 속에 도착한 베드로가 주께 간절히 묻던 기도였다.

"주여! 어디로 가야 하나이까? 쿠오바디스 도미네"

"로마로!"

그의 물음에 주는 화염 속의 지옥 같은 로마 시내를 가리키며 로마로, 했다.

3일 만에 겨우 정신을 수습한 이승만은 광야에 나선 것 같은 외로움과 두려움에 떨었다. 어머니 품속으로 돌아가고 싶어도 남의 나라가 되어 그들의 총칼이 기다리고 있었던 것이다. 그렇다고 미국에서 살 수도 없었다. 미국 역시 남의 나라였기 때문이다. 국제미아國際迷兒 신세가 된 것이었다.

슬픔에 젖어 있을 때 뉴욕 장로교 해외 선교부에서 연락이 왔다. 서울에서 온 YMCA 간사 하나가 이승만을 찾고 있다는 것이었다. 이승만은 곧 그를 만나러 나갔다. 그는 서울 YMCA황성기독교 청년회에서 온 G. G. 그레그Gregg 공업부 간사였다. 그가 가방에서 뭔가를 꺼내어 놓았다.

"이게 뭐지요?"

"초청장입니다. 이승만 씨를 모시고 싶다는 국제 YMCA 국제위원장의 초청장입니다."

이승만은 흠칫 놀라며 초청장 내용을 살폈다. 이승만을 서울 YMCA 학생부 간사로 초빙하겠다는 국제 YMCA 국제위원장 존 모트John R. Mott의 초청장이었다.

"학생부 간사는 뭐 하는 자리지요?"

"기독교 청년 단체를 조직화하고 교사로서 양육하며 복음 설교자의 일을 하는 자리입니다."

이승만은 잠시 생각에 잠겨 있다가 동의했다.

"좋습니다만 신변에 대한 위험은 없을까요?"

"YMCA 간부라면 신분 보장은 된다고 봅니다."

"언제 귀국하면 되지요?"

"가능한 이른 시일이 되면 좋겠답니다."

"귀국 일정은 나에게 맡겨줄 수 있나요?"

"물론입니다. 여비 일체가 지급되니까요."

그레그는 돌아갔다. 이승만은 한편 기쁘게 생각하면서도 한편으로는 쓸쓸함을 느꼈다. 고작

YMCA 청년부 간사를 하기 위해 그 고생을 해가며 박사학위를 받은 건 아니었기 때문이다.

하지만 생각해보니 찬밥 더운밥 가릴 때가 아니었다. 무사하게 고국으로 돌아갈 수 있다는 것과 들어가봐야 장차 어떤 일을 할 수 있을지 목표를 정할 수 있을 듯했다.

그런 의미에서 감사하게 받아들여야 했다. 이튿날 바로 국제 YMCA 본부에서는 이승만의 귀국 여비 일체를 보내왔다. 이승만은 귀국 항로를 태평양 횡단에 두지 않고 유럽으로 해서 러시아, 시베리아 철도를 이용하여 귀국하기로 작정했다.

유럽은 세계 정치의 본무대였다. 그곳에 한번 가보고 싶었다. 이번 기회가 아니면 나중에라도 일주할 기회가 찾아오기 어려울 것 같아 유럽 쪽을 택한 것이었다. 이승만은 평소 아껴주던 우드로 윌슨 총장 내외와 그 가족들의 송별연을 받고 신학대 학장 어드맨 박사와 대학원장 웨스트 박사 그리고 여러 친지와 석별의 정을 나누었다.

마침내 이승만은 1910년 9월 3일. 뉴욕항에서

영국 리버풀행 대서양 횡단 선인 S. S. 발틱호에
몸을 싣고 미국을 떠났다. 5년 만이었다. 홀가분한
마음으로 리버풀항에 도착한 그는 열차 편으로
런던으로 향했다. 때마침 〈런던 타임스〉는 세계
최고 최대를 자랑하는 호화 유람선 '타이타닉호'가
건조되어 진수식을 하게 됐다고 대서특필하고
있었다. 타이타닉호는 2년 뒤 북해에서 유빙流氷에
부딪쳐 침몰해 바닷속에 가라앉게 되는 슬픈 운명을
맞이했으나 아직은 모르고 신문 전면을 장식하고
있었다.

이승만은 대영제국의 수도이며 의회정치의 본고장
이라는 런던을 국회의사당부터 샅샅이 돌아보고
배를 타고 도버해협을 건너 프랑스 파리에 들렀다.
예술의 도시 파리에서 새로운 감각의 선진 문화를
관광하고 독일의 베를린에 들러 모스크바로 들어갔다.
모스크바는 차르의 제정帝政 독재 체제가 흔들려
정국이 불안했다. 그곳에서 이승만은 극동의 블라디
보스토크까지 가는 시베리아 횡단 철도의 열차에
올랐다. 열차는 우랄산맥을 넘어 광활한 초원을 달려

세상에서 가장 깨끗하고 아름답다는 바이칼 호수에 도착했다. 그곳 이르쿠츠크에서 치타를 거쳐 만주의 하얼빈으로 들어와 장춘을 지나고 심양으로 하여 안둥지금의 丹東에 도착했다. 안둥은 압록강 하류를 사이에 두고 신의주와 마주한 국경 도시였다.

갈아탄 열차가 신의주역에 도착하자 승객 전체를 역 마당으로 불러내어 세우고 일본군 헌병과 사복 경찰들이 입국심사를 위해 한 사람씩 여권을 검사했다. 통역관을 앉혀놓고 입국심사를 했다. 이승만은 한숨을 내쉬었다. 망국의 설움을 내 땅에서 그제야 느끼고 있었던 것이다. 이승만의 앞에 서 있던 흰 두루마기를 입은 노인더러 따로 나와 서게 했다.

"왜 그러시오?"

"집조集照. 여권도 없고 신분증도 없어서 그런 거요."

통역이 대신 알려주었다.

"난 피양 살고 있고 내 딸이 안둥에 살아서 다리 건너 잠깐 다녀오는 길인데, 뭐 그따우께 필요한 거요? 수십 번 다녀봤지만 이런 조사는 처음 받아보는구먼."

283

노인이 화를 내더니 밖으로 나가려 했다. 헌병이 벌떡 일어나 노인의 따귀를 갈겼다.

"고랏! 칙쇼!"

다시 끌어내며 발길로 걷어찼다. 이승만이 막아섰다.

"너는 뭐야? 엥?"

"나약한 노인에게 폭력은 너무하지 않소?"

이승만은 유창한 일본말로 점잖게 타일렀다. 그러자 헌병은 흠칫하며 위아래를 째려보더니 노인은 놔두고 이승만의 여권을 검사했다.

"이름?"

"이승만이오."

"어디서 오는 길이지?"

"아메리카요."

여권에 있는 영문자를 보자 헌병은 끙하는 신음을 올렸다. 통역도 알지 못해 머리를 흔들었다.

"목적지는?"

"서울 YMCA. 황성기독교청년회관이오."

"얼마나 있을 거지?"

"그곳 교사로 부임해 왔으니까 몇 년이나 있을지 모르겠소."

"가면 3일 이내에 즉시 경기도 경찰부 고등계에 신고하도록! 알았으면 승차해도 좋다."

이승만은 객차에 오르려다 말고 통역을 맡고 있던 한국 청년에게 우리말로 한마디 했다.

"당신도 부모가 있으면 저 노인 봐드리고 열차에 타게 해주시오."

이윽고 서울행 경의선 열차는 신의주역을 떠났다. 평양을 거쳐 봉산을 지나 개성에 이른 열차는 드디어 서울역에 도착했다. 도착 시각을 맞출 수 없어 집에는 연락하지 못했다. 역에는 아무도 마중 나오지 않았다. 역 마당에 선 이승만은 심호흡을 크게 하며 고향 냄새를 맡고 감개무량한 듯 정면으로 보이는 흰 구름이 걸쳐 있는 남산 꼭대기를 바라보았다.

어려서 마음껏 뛰어놀며 다람쥐 잡고 자치기하며 연날리기하고 내달리던 뒷산이었다. 그의 집은 바로 남산의 서쪽 자락 끝에 있는 복사골桃洞이었다. 그는 집을 향해 잰걸음을 옮겼다.

"아버님!"

삽짝을 밀고 마당 안으로 들어서며 아버지를 부르자 안방 문이 벌컥 열리며 부친 경선공이 일어서지도 못하고 쓰러질 듯 상체를 내밀었다.

"아이구, 내 아, 아들 왔, 구우-나. 태산아! 애, 애비 왔다!"

방 안으로 들어온 아들을 얼싸안으며 목이 메어 어눌한 목소리로 부엌에 대고 며느리를 불렀다. 승만의 아내가 놀라 부엌에서 나오다가 남편의 얼굴을 보자 멍하니 섰다. 기쁨 반 원망 반의 표정이었다. 승만은 그런 아내를 차마 바라보지 못하고 아버지를 부축해 방에 앉았다. 아버지 경선공은 작년에 중풍으로 쓰러져 반신불수가 된 채 고생하며 투병하고 있었다.

"5년도 안 되어 박사까지 다 따냈다니 저엉말 자랑스럽고 미안허다."

"아닙니다. 집안 형편을 뻔히 알고 있었잖아요? 오히려 장남인 제가 죄송하지요. 와병 중이신 아버님 하나 봉양하지 못하고 고생시켜드렸으니 말입니다."

"아니다. 나라는 망했지만 너는 성공했으니 자랑스럽다. 지금의 널 보지 못하고 눈을 감은 너희 어머니가 불쌍쿠나."

"건강은 어떠세요?"

"중풍으로 반쪽은 못 쓰고 누워 살지만, 밥은 잘 먹는다. 태산이 에미 고생만 시킨다. 이 늙은이가 죽어야 하는데 죽지도 않고."

"저 때문에 아버님 건강이 이렇게 된 겁니다. 정말 죄송해요. 그리고 내일 바로 어머님 묘소를 찾아보겠습니다. 그리고 제가 제 독선 때문에 씻을 수 없는 죄를 아버님과 안식구한테 지었습니다. 특히 안식구는 그렇게 반대했는데도 제 고집 때문에 태산이를 미국으로 불러서 흉한 꼴을 보게 했으니 낯을 들 수가 없습니다."

"지나간 얘기다. 그 얘긴 하지 마라."

아버지는 또다시 가슴이 메어지는지 눈물을 떨구었다. 그날 밤 이승만은 아내와 단둘이 되었을 때 자신의 잘못을 진심으로 빌었다.

"미안하오. 미국으로 데려가지 말라는 게 하나님의

뜻이었나 보오. 시집와서 나 때문에 고생만 하고 살고 있으니 유구무언이오. 평범한 지아비를 만나 산다면 떨어져 살지도 않았을 것이고 생계 걱정도 안 하고 언제 잡혀갈지 몰라 불안에 떨며 살지도 않아도 됐을 텐데⋯⋯."

"그만 하세요. 그게 내 팔자인 걸 어떡해요?"

아내는 흐르는 눈물을 닦지도 못했다. 승만은 가방 속을 뒤져 노트 한 권과 쓰다 만 연필 두 자루를 꺼내 놓았다.

"태산이 유품이오. 보이드 여사님이란 분한테 태산이를 맡겨 두고 있었소. 1년 동안 영어 교육을 해 초등학교에 입학시키려는데 그만 전염병을 얻어 죽은 거요. 공책을 보면 우리 태산이가 영어 배우며 우리 글로 토를 달아놓은 것도 있고⋯⋯."

더는 말을 잇지 못했다.

7. 가족과의 마지막 이별

이튿날 이승만은 YMCA 황성기독교청년회 회관으로 출근했다.

"기다리고 있었습니다. 어서 오십시오, 환영합니다. 이 박사 같은 분이 우리 YMCA에 오시다니 영광스럽습니다. 함께 복음을 전하고 하나님이 기뻐하실 일꾼, Y-man을 양육해나갑시다."

책임자인 미국인 총무 필립 질레트P. Gillet가 반갑게 맞아주었다.

이승만은 정식으로 황성기독교청년회의 간사직을 맡았다. 한편 이승만의 귀국 사실이 알려지자 옛 독립 협회 만민공동회 동지들과 한성감옥 정치범 동지들 그리고 상동학원 동지들이 태화관에 모여 개선 환영연을 열어주었다.

이승만은 인사말에서 이렇게 말했다.

"조국을 떠난 지 5년 만에 돌아오니 감개가 무량합니다. 산은 옛 산이로되 인걸은 간 곳이 없네, 라고 옛 시조는 읊고 있지만, 인걸은 간 곳이 없는 게 아니라 모두 건재하니 기쁘기 한량없습니다. 5년 전 갑자기 미국으로 들어간 것은 충정공 민영환 선생의 부탁을 받아 T. 루즈벨트 대통령을 만나 심각한 청원을 드리기 위해서였습니다. 하지만 정치적 이유와 외세의 훼방 때문에 만나기만 했지 임무 수행은 수포로 돌아갔습니다. 너무도 허망해서 잠시 방황했으나 기왕 도미했으니 선진 민주 학문이나 배워 돌아가자 싶었습니다. 그리하여 조지워싱턴 대학교에 들어가 1년 반 만에 졸업했고 곧이어 1년 동안 하버드 대학교 대학원에서 석사를 했습니다. 그다음에는 프린스턴 대학교로 가

박사과정을 밟아 2년 반 만에 박사학위를 받았습니다. 전액 장학금을 받지 못했다면 학업을 계속한다는 것은 꿈도 꾸지 못했을 것입니다. 문제는 생활비였습니다. 교회나 각종 민간단체, 사회단체 초청 연사로 나가 받는 사례비로 근근이 살아야 했으니 그 고생은 이루 말할 수 없었습니다. 여하튼 저는 꿈에도 잊지 못하던 조국 땅을 밟았습니다. 주님의 은혜라 생각합니다. 기독교의 근본 교리는 이신칭의以信稱義의 부활 구원의 종교라 했습니다. 믿음으로써 하나님의 정의를 이룬다는 이신칭의의 믿음을 우리 민족도 다 함께 가져야 한다고 생각합니다. 하나님은 언제나 정의의 편에서 계십니다. 정의는 이긴다는 진리를 우리 민족이 깨닫게 해야 합니다."

압록강 철교를 넘어오면서 이미 이승만은 일제의 독사 같은 감시의 눈을 느끼고 전율을 느낀 터였다. 어디라고 감시의 눈이 없겠는가. 그는 직설적인 말은 피하면서 조국에 돌아와서 자기가 해야 할 일에 대해 밝혔다.

그가 근무하게 된 황성기독교청년회 서울 YMCA가

설립된 것은 1903년 10월 28일이었다. 개화開化에 앞장섰던 지식인들은 서재필이 창립한 독립협회에 모여들었다. 그러면서 만민공동회로 발전, 가두 집회로 국왕에게 개혁 조치를 요구하자 수구파가 주동이 되어 독립협회 해산과 더불어 만민공동회마저 강제 해산되어 뿔뿔이 흩어지게 되었다.

그 지식인들의 주류는 정치범으로 투옥되었다가 이승만의 전도로 기독교 신자가 된 사람들이었다. 그들 150여 명이 모여서 아펜젤러와 언더우드 선교사를 앞세워 서울 YMCA 창립 운동을 벌였다. 그러자 북미 YMCA 국제위원회는 중국통인 G. W. 라이언 Lyon에게 현지 조사를 명했다.

조사를 마치고 돌아간 라이언이 긍정적으로 보고 하자 북미 국제위원회는 당시 콜로라도 대학을 졸업하고 예일대 YMCA 전도 담당 부목사로 있던 필립 질레트를 서울로 파송, 창설 책임을 맡겼다. 질레트는 실천력과 정의감이 강한 성격이었다. 당장 회관을 마련하고 흩어져 있던 개화파 엘리트들을 불러 모아 조직에 박차를 가했다.

이상재, 윤치호를 필두로 김정식, 신흥우, 김규식, 전덕기, 이승만 등 민족주의 성향의 인재들을 망라하여 독립협회 만민공동회의 맥을 이어놓았다. 서울 YMCA는 서북지방에서 창립된 신민회와 더불어 일제의 탄압으로 수면 아래 잠복한 민족운동의 텃밭이 되기도 했다.

신민회新民會는 1906년, 을사늑약이 체결되자 미국에서 귀국한 안창호安昌浩가 서북지방 출신들인 이갑李甲, 이동녕李東寧, 이동휘李東輝 그리고 전덕기, 신채호, 조성환, 노백린 등 800여 명의 비밀회원과 함께 정치, 경제, 문화, 교육 등 민족 진흥 운동을 펼치자는 취지 아래 만든 비밀결사였다. 신민회는 평양에 대성학교大成學校, 정주에 오산학교五山學校 등을 세우고 민족교육을 하기 시작했다.

서울 YMCA 창립이사 중에는 이승만과 가까웠던 H. B. 헐버트, O. R. 애비슨, J. S. 게일, H. G. 언더우드 등 다수의 선교사 의사들이 포함되어 있어 이들의 도움으로 업무를 원활하게 펼쳐나갈 수가 있었다.

이승만은 나중에야 자기를 YMCA 학생부 간사와 YMCA 학교 학감學監으로 천거한 사람은 한성감옥 동기인 이상재月南였음을 알았다. 그는 일찍이 워싱턴 주재 한국공사관 1등 서기관을 지내고 귀국했다가 개혁당 사건에 연루되어 투옥되었었다. 이상재는 이승만보다 25세나 연장이었다. 이상재는 그의 아들 이었던 부여군수 이승인과 함께 투옥되었는데 승만은 아들 이승인과 친구였다.

그럼에도 이상재는 이승만을 존대하고 동지로서의 우정을 쌓았다. 이상재는 다른 동지들과 함께 옥중 에서 이승만에 의해 기독교인이 되었다. 그 때문이었 는지 그는 YMCA 운동에 앞장서고 있었고 이승만의 귀국을 누구보다 환영했다.

이승만은 학생부 간사와 학감을 맡고 모처럼 꿈에 그리던 고국 강단에 서서 젊은이들을 가르치게 된 흥분을 억누르지 못했다. 그가 지닌 탁월한 연설 솜씨에, 미국에서 배운 선진 학문을 배경으로 강의하자 학생들은 모두 경탄하며 귀를 기울였다. 서울 YMCA에서 이승만 학감의 별명은 '이 굉장 박사'로 붙여져 유명해졌다. 강의를 할 때는 학생들의 주의력을 집중시키기 위해 "이거야말로 굉장한 얘기지!", "지금부터 하는 얘기는 그야말로 굉장한 거야!" 하며 조금은 재미로 과장하는 말투를 자주 썼기 때문에 학생들이 이 굉장 선생, 혹은 이 굉장 박사라고 불렀던 것이다.

물론 강의 학교가 기독교 소속이니 항일의식 고취를 위한 노골적인 민족교육을 할 수는 없었다. 일제는 학교에서 교재로 만드는 원본도 미리 제출해서 검열을 받도록 하고 있었기 때문이다. 일제의 탄압은 가혹했다. 선교용宣敎用 팸플릿을 냈는데 '미신은 악령을 믿는 샤머니즘이다. 예수를 믿음으로 그 악령을 이 땅에서 쫓아내야 한다'라는 구절이 문제가 되었다.

악령惡靈. Devil은 일본을 비유하는 것이며 악령을 이 땅에서 쫓아내야 한다는 것은 일본에 항거해야 한다는 선동이나 다름없다며 팸플릿을 다 압수하고 편집자를 조사하기도 했다. 심지어는 이 땅에 새봄이 되었으니 이제 새로운 생명이 돋아나 꽃피울 것이란 구절도 문제 삼아 새봄, 새 생명을 찬양한 것은 바로 조선 민족의 부활을 노래한 것이란 억지 주장을 하여 그걸 실은 주간신문을 정간 처분했다.

그러한 상황에서 이승만의 연설 내용의 범위는 한없이 좁아질 수밖에 없었다. 일찍이 종로 네거리에서 만민공동회를 열고 수천 명의 청중 앞에서 국가의 개화와 민주, 민권 사상이 무엇인지 갈파하고 일본의 침략 야욕을 규탄하며 사자후를 토하던 선동 가두 정치가인데다가, 미국에서도 기회 있을 때마다 집회에 초청되어 한국에 관한 열정적 연설을 계속하여 성가를 높여 온 전력이 있는 사람인데 입을 막아놓으니 탄식만 나올 뿐이었다.

일제 감시의 눈을 피하고자 성경 공부와 신학에 관한 강의를 주로 했다. 특히 성경에서도 구약舊約은 이스라엘 민족의 타 민족과의 대외 투쟁과 수난사가 많은 부분을 차지한다. 앗시리아 제국에 짓밟혔을 때도 백성은 모두 노예로 끌려가 고생했고 바빌로니아 제국에 당했을 때도 노예로 끌려가 온갖 수모를 당했다.

그 전쟁사를 강의할 때는 일본과 우리나라의 관계를 은밀하게 비유하며 열강했다. 학생들은 단 한마디도 놓치지 않고 경탄과 선망의 눈으로 이승만을 바라보며 경청했다. 승만이 배재학당에 다닐 때 미국에서 막 귀국한 서재필 박사가 서구문화사와 민주주의를 소개할 때 승만이 그를 우러러보던 그 표정으로 학생들이 승만을 바라보고 있었던 것이다. 언젠가 우리도 이승만 박사처럼 성공한 유학생으로 돌아오겠다는 꿈을 갖게 하기에 충분했다. 대중 앞에 서기를 좋아하던 이승만은 국내의 여러 지역을 돌며 강연회를 갖게 되는 기회를 마련하게 되었다. 대중연설회가 아니고 국내 여러 지방에 YMCA 지회를 만들기 위한 전국 전도 여행이었다.

모든 집회가 금지된 상태에서 이승만은 복음 전도 운동을 표방하고 연설회를 계속해나갔다. 그가 YMCA 국제위원회에 보고한 내용을 보면 총 37일 동안 13개 지방을 돌며 33회 집회와 사경회를 열었으며 참가한 총인원은 7천 533명이라 보고했다. 그 기간 동안 이동한 거리는 900여 리였으며 나귀 타고, 달구지 타고, 걷기도 하며 전도 여행을 계속한 것으로 나타나 있다. 원래 그 집회 여행은 봄, 가을 2회로 잡혀 있었다. 그러나 시국이 불안해지기 시작했다. 나중 '105인 사건'으로 불리게 된 일제의 민족인사 검거 선풍이 주요 인사 600여 명을 1911년, 1년 내내 검거하여 대사건을 예고했다. 민회 사건이라 불리기도 했던 '105인 사건'은 안명근 安明根의 데라우치寺內正毅 초대 조선 총독 암살 음모 사건이 발각됨으로 시작되었다.

1902년 12월, 경의선의 종착역과 만주의 안둥을 잇는 압록강 철교가 개통하게 되었다. 그 개통식에 데라우치 총독이 참석하게 되어 있었는데 그때 암살하기로 했던 것이다. 암살 음모에 비밀결사 신민회와 기독교 인사들을 엮어 모두 쓸어내자는 게 일제의 흉계였다. 윤치호, 이승훈, 양기탁, 유동열, 안태국 등 600여 명이 체포되었으며 그들을 고문하여 기소했다. 이승만도 피체될 것을 각오하고 지방 집회를 나갔다가 돌아왔다. 그는 검은 손이 점점 다가오고 있다는 걸 느끼고 있었다.

드디어 올 것이 왔다.

"학감님, 경기도 경찰부에서 형사가 왔습니다."

학감실에 학생 하나가 재빨리 들어와 알려주었다.

"고맙다."

이승만은 뒷문으로 나가 잠시 어디로 갈까 망설였다. 건물 밖으로 나가려다가 2층 총무실로 급히 올라갔다.

"어서 오시오."

질레트 총무가 맞이했다. 이승만은 지금 자신을 연행해 가기 위해 일인 형사가 왔다는 사실을 알렸다.

"알았소. 이 박사는 내 방에서 꼼짝하지 마시오. 마침 존 모트 국제위원장이 주한 미 공사관에 잠깐 일이 있어 갔으니까 모트 씨가 오면 나와 함께 보호해 줄 테니 염려 마시오."

YMCA 국제위원장 존 모트는 마침 그때 한국 방문 중이었다. 이승만의 신변 보호를 위해 총무 질레트는 존 모트와 함께 나서겠다는 뜻이었다. 조금 있자 거친 노크 소리가 들려왔다. 들어온 사람은 일본인 사복형사였다.

"오, 이승만 씨 여기 계셨군요."

"당신은 누구시지요?"

질레트 총무가 물었다.

"경기도 경찰부 고등계 형사 이와나미올시다. 이승만 씨를 임의 동행하리 왔습니다. 잠시 조사할 것이 있으니까 나와 함께 가주시지요."

"영장 없으면 돌아가시오. 우리 YMCA는 국제적 세계기구이며 이승만 박사는 서울 YMCA 간사이며 학감입니다. 함부로 오라 가라 할 수 없습니다."

"체포라면 영장이 필요하겠지만, 임의동행이라 하잖소? 잠시 조사에 협조해달라는 것뿐입니다."

"돌아가시오. 정식으로 총독부에 우리의 뜻을 전할 테니."

질레트 총무는 강경하게 버텼다. 이승만은 한마디 하지 않았다. 형사는 그냥 돌아갔다. 전략상 후퇴하는 듯했다. 미 공사관에 갔던 국제위원장 존 모트가 돌아왔다.

"염려 마시오. 이 박사를 체포 연행하면 우리 미국 정부와 마찰이 일어날 것이라고 조선총독부에 통보해

놓겠소. 외교적 마찰이 생기게 된다고 하면 그들도 섣불리 나서지 못할 것입니다."

이승만은 미국에서 이름이 알려진 국제적 인사이고 국제 YMCA 간부이니 일제도 어쩌지 못할 거란 것이었다. 한편 존 모트가 서울을 방문한 것은 총독부가 기독교 인사들을 검거하고 있다는 실태를 조사하기 위해서이기도 했지만, 그보다 더 심각한 문제가 있어 온 것이다.

일제의 기독교 탄압을 위한 흉계가 서서히 진행되어가고 있었던 것이다. 일제는 한국 기독교 단체를 일본의 기독교 단체 밑에 예속시키고 관리하겠다는 속셈이었다. 존 모트는 일본에 예속되기 전에 신속하게 한국 감리교단과 중국 북감리교단이 통합하여 위기를 모면하려고 은밀하게 작업을 하고 있었다.

그런저런 이유 때문에 감리교 동북아시아 총책인 B. 해리스Harris 감독이 한국으로 들어왔고 장로교 해외 선교부 총무 A. 브라운 박사도 급거 한국을 방문했다. 이처럼 거물들이 해외에서 들어와 기독교

인사 검거에 대해 진상조사를 한다며 압박하자 상대적으로 이승만의 신변은 안전한 것처럼 보였지만 그것도 한계가 있었다.

그들이 떠나고 나면 기다렸다는 듯이 잡아갈 게 뻔해 보였던 것이다. 이승만은 하루하루가 불안하고 초조했다. 체포자의 숫자는 줄지 않고 계속 늘어만 가고 있었던 것이다. 이 위기에서 구해준 사람은 감리교 해리스 감독이었다.

두 달 뒤인 5월 15일, 미국 미네소타 주 미니애폴리스에서 세계 감리교대회가 개최되는데 이승만이 조선 평신도 대표로 참가할 수 있게 선출된 것이다. 평신도 대표는 이승만 외에 한국인 목사 하나와 선교사 두 명이었다. 문제는 이승만의 출국 허가가 날 것이냐 안 날 것이냐, 였다.

다른 대표들은 출국 허가가 나왔는데 이승만은 이것저것 이유를 들어 내주지 않고 시간을 끌었다. 주한 미국공사가 나서고 비숍 해리스 감독이 강하게 나오는 바람에 이승만의 출국 허가가 겨우 나왔다. 총독부는 허가에 조건을 달았다.

첫째, 미국을 비롯한 외국에 가면 절대 일본을 비난하거나 반일 발언은 하지 않겠다.

둘째, 출국과 함께 6개월 이내에 귀국한다.

그 두 가지 약속을 해야만 출국 허가를 내주겠다고 한 것이다. 둘째 조항이 문제였다. 6개월 이내에 돌아오지 않으면 해외 불법체류자로 간주하겠다는 것이었다. 세계 대회 참가를 빌미로 이승만이 미국 망명을 획책하지 않을까 하여 미리부터 선수를 친 것이다.

이승만으로서는 이것저것 따질 계제가 아니었다. 투옥당하는 것보다는 안전하게 출국하는 것이 급선무였던 것이다. 이승만이 총독부의 명령에 동의하여 출국 허가가 나왔다. 이승만이 도동 집을 떠나 다시 미국으로 가기 위해 제물포행 기차에 오른 것은 37세가 된 생일 아침1912년 3월 26일이었다.

거동이 불편하여 누워 있던 아버지 경선공은 그저 울기만 했다. 어쩌면 마지막 보는 아들의 모습이었던 것이다. 승만은 아내가 생일이라고 끓여 놓은 밥상의 미역국을 떠서 부축한 아버지 입에 넣어주었다.

"이 불효자 용서하십시오. 아버님, 건강하셔야 합니다. 꼭 다시 돌아올게요."

"어서 가거라."

차마 방문을 닫지 못하고 마당으로 나섰다. 아내도 앞치마 자락으로 얼굴을 가린 채 울고 있었다.

"여보! 면목 없소. 내 다시 돌아올 동안 아버님 잘 돌봐줘요."

"염려 말고 가세요."

승만은 골목길을 내려오면서 뒤돌아보았다. 언제 다시 돌아올 수 있을지 기약 없는 이별이었다. 아내가 삽짝에 기대서서 사라져가는 남편의 뒷모습을 망연히 바라보고 있었다. 가장 가까운 가족 이별이었다. 귀국한 지 17개월 만에 다시 조국과도 이별이었다.

중풍으로 투병 생활하던 아버지 경선공은 아들이 떠난 뒤 채 1년도 더 살지 못하고 1912년 12월 5일에 세상을 떠났다. 시아버지의 병구완에 생활비에 약값을 대며 고생하던 며느리의 슬픔과 허탈감은 말할 수가 없었다. 승만의 부인도 시아버지가 타계하자 혼자만 남게 되었다. 그러자 평산에 살던

승만의 누님이 초상 때 왔다가 평산에 와 함께 살자고 했지만 언젠가 남편이 돌아와 찾을지 모르니 떠날 수 없다며 혼자 그 집을 지키며 살았다.

8. 갈 곳 없는 국제미아國際迷兒

세계 감리교 대회는 미국 미네소타 주 미니애폴리스에서 열리게 되었다. 한국의 평신도 대표로 참석하게 된 이승만은 뜻밖에도 배재학당 시절 영어교사였던 노블 박사를 만나게 되었다. 그는 한국 감리교 교직자 대표로 대회에 참가 중이었는데 이승만과 한방을 쓰도록 배정이 되어 있었다. 이승만은 노블 박사에 대한 좋지 않은 편견을 가지고 있었다. 친일적인 선교사였던 것이다. 하필이면 왜 그와 룸메이트가 되었는지 첫날부터 기분이 별로 좋지 않았다. 그러나 오해와 편견이라는 것이 얼마나 무서운 것인지 승만은 그와 이틀쯤 함께 지내면서 깨닫게 되었다.

노블 박사는 원래부터 반일反日적 의식이 있었고 그는 지금 한국감리교단을 북중국 감리교단과 연합하고 연대하여 일본의 제국주의적인 기독교 국가 관리에 저항하는 길을 모색하고 있었다. 노블 박사를 만나지 않았더라면 그의 진면목을 모르고 계속 오해와 편견으로 평가했으리라 생각하니 부끄럽기 이를 데 없었다. 노블 박사는 오히려 동북아 감리교 총책인 해리스 감독을 조심하라고 충고했다. 그야말로 친일 인사라는 것이었다. 대회는 한 달 동안 계속되었다. 부문별 소회의가 계속되고 평신도 대표로 이승만의 연설 순서가 되었다.

"믿음, 소망, 사랑은 우리 기독교의 3대 덕목입니다. 오늘날의 세계는 약육강식弱肉強食의 법칙이 존재하여 일본에 의해 약소국인 우리 한국의 기독교와 신자들의 믿음과 소망이 완전히 짓밟혀

나라까지 잃고 신음하고 있습니다. 평화는 박애와 평등에서 오는 것입니다. 그것이 우리 기독교의 참사랑입니다. 평등은 곧 힘의 균형에서 오는 것입니다. 사랑과 평등의 정신으로 강자의 힘을 밀어내고 피압박 민족을 해방하는 것만이 아시아의 평화를 되찾는 기독교 정신의 근본이라고 보는 바입니다."

이승만의 연설은 장내를 소란스럽게 했다. 대다수의 대표는 일본의 힘과 아시아에서의 기득권을 인정하고 있는 사람들이라 그들의 비난을 받게 된 것이다. 그날 저녁 숙소에 찾아온 해리스는 이승만에게 화를 냈다.

"출국 허가 조건을 벌써 잊은 건 아니겠지요? 일본을 비난하는 발언은 하지 않기로 하지 않았소? 제발 조심해주시오. 부탁합니다."

아시아 소위원회는 한국과 일본 내의 선교 사업은 일본 정부의 협조와 지원 아래 이루어갈 것을 인정하고 결의하는 것으로 끝을 내었다. 세계대회도 폐막하였다. 대회에 참가했던 대표자들이 하나둘 모두 미니애폴리스에서 떠나갔다.

"이제 어떻게 하겠나?"

짐을 싸면서 노블 박사가 걱정스럽게 물었다.

"글쎄요. 아시다시피 난 조국으로 돌아갈 수 없습니다. 어쩔 수 없이 미국에 남게 되는군요."

이승만은 쓸쓸하게 말했다. 국제미아가 된 기분이었다. 처음 미국에 왔을 때 임무 수행에 실패하고 귀국할 수 없어 만리타국에 남겨졌을 때의 당황함과 고독감에 사로잡힌 이래 워싱턴 대학을 졸업하고 나서도, 하버드대에서 석사과정을 마쳤을 때도, 프린스턴 대학에서 박사학위를 받고 나서도 똑같은 당황함과 고독감에 떨어야 했다.

행여나 졸업하고 나면 귀국할 수 있겠지, 있겠지 했지만 그건 희망 사항에 불과했다. 또 그런 처지가 된 것이었다. 떠날 준비를 하고 있던 노블 박사에게 승만이 물었다.

"박사님은 한국으로 들어가야지요?"

"물론이지만 베이징에 들렀다가 가야겠네."

"가시지요. 전 뉴저지 시거트로 갈까 합니다."

"뉴저지?"

"대학 때 은사님을 뵙고 장래 일을 의논드려 볼까 합니다."

"호레이스 언더우드 선교사가 연희전문학교延禧專門를 설립했으니 교수로 와달라고 두 번이나 초청했다면서?"

"그 학교 교수로 간다면 얼마나 좋겠습니까? 하지만 신변 보장이 안 되니 그게 안타깝지요. 그 때문에 완곡하게 두 번이나 거절했습니다."

이윽고 두 사람은 헤어졌다. 이승만은 기차를 타고 뉴저지로 갔다. 당시 미국은 대통령 선거를 앞두고 예비 선거를 하고 있을 때였다. 이승만은 은사인 우드로 윌슨 프린스턴대 총장의 여름별장이 있던 시거트를 찾아갔다. 윌슨은 총장 임기를 마치고 민주당 대통령 후보가 되기 위해 경선에 나서고 있었다.

"안녕하셨습니까?"

"오, 이 박사가 왔구먼."

마침 별장 안에 있던 윌슨 총장은 찾아온 이승만을

보자 깜짝 반가워하며 그의 손을 잡아주고 부인과 딸들을 부르며 여기 누가 와 있는지 나와 보라고 외쳤다. 저녁 식사를 대접받으며 이승만은 마치 오래 떠나 있던 고향집에 온 것 같은 평화로움과 따스함을 느꼈다.

"지금까지 3개 주 가운데 총장님은 대의원 수가 가장 많은 메인주에서 승리하셨으니 볼티모어에서 열리는 슈퍼 화요일엔 틀림없이 미국 대통령 민주당 후보가 되실 것입니다."

이승만의 말에 윌슨은 흐뭇하게 웃었고 부인이 기뻐하며 이승만을 치켜세웠다.

"당신의 참모는 이승만 박사 같은 분이 맡아야 해요. 그리되면 승리할 거예요."

"나도 그렇게 생각했소. 이 박사! 내 선거를 좀 도와주게."

"물론입니다."

그로부터 일주일 후인 6월 25일. 메릴랜드 주 볼티모어 시에서 미국 민주당 전당대회가 열리고 대통령 후보 마지막 경선대회가 벌어졌다. 여기에서 우드로 윌슨은 간발의 표차로 상대를 누르고 민주당 대통령 후보가 되었다.

선거운동을 도와달라 했으나 미국 시민권자도 아니고 무국적자인 이승만으로서는 정식으로 선거운동에 나설 수가 없었다. 그보다 이승만은 윌슨을 만나러 갈 때 이미 한국 독립을 호소하는 청원서를 작성해 가지고 갔었다. 그는 윌슨에게 그 청원서를 내놓고 동의한다는 서명을 해주기를 바랐다. 미국 대통령 후보가 한국 독립을 촉구하는 청원서에 서명한다면 수만 명 미국인이 서명해주는 것만큼 효과가 있다고 설득했다.

"자네의 뜻을 알겠네. 내가 일개 시민이라면 서명하고 찬동해줄 수 있네. 하지만 대통령 후보는 공인일세. 미국을 대표하는 공인이 함부로 서명할 수는 없지 않은가. 서구 열강과 군국주의 일본의 침략성 등으로 약소민족들이 나라를 잃고 고통을 당하고 있다는 사실은 나도 잘 알고 있고, 내가 당선되면 약소민족을 도와줄 방법을 준비하고 있다는 걸 얘기해주고 싶네. 청원서 대신 자네의 소개서는 내 이름으로 써주지. 어쨌든 집회에 다니며 강연은 해야 할 게 아닌가."

이른바 제1차 세계대전이 끝나고 평화회의가 열렸을 때 윌슨의 '민족자결주의'가 나온 것은 이미 후보 시절부터 가지고 있던 복안이었던 셈이다. 윌슨이 본격적인 선거운동에 돌입할 때 이승만은 워싱턴과 필라델피아, 보스턴을 다니며 그동안 만나지 못했던 서재필을 비롯한 선배 그리고 친구들과 교수들을 만나 회포를 풀었다.

윌슨은 미국 대통령으로 당선되었다. 취임식 초청을 받았지만, 이승만은 백악관으로 축전을 보내는 것으로 대신했다. 몇 달이 지나자 해가 바뀌어 1913년 2월이 되었다. 하와이 호놀룰루에서 보낸 하와이 감리교 와드먼 목사의 초청장이 도착했다.

"감리교 세계대회를 성공적으로 마친 것을 축하합니다. 이곳 하와이 감리교회는 이 박사가 와주기를 기다리고 있습니다. 박사님이 아니면 해내지 못할 일들이 많습니다. 부디 거절하지 마시고 꼭 와주십시오."

이승만이 있어야 해결될 수 있는 일이 무엇인지는

밝히지는 않았지만 와드먼은 진지하게 초청하고 있었다. 와드먼 목사는 이승만이 처음으로 미국에 올 때 하와이 교회에서 친절하게 맞아주고 환대해주었던 목사였다. 어떡할까 망설이고 있던 차에 며칠이 안 되어 뜻밖에도 형제간처럼 가까웠던 친구 박용만의 편지가 이승만에게 날아왔다.

본토에서 미적거릴 게 아니라 하와이로 와서 할 일을 찾아보는 게 유익할 것이라며 작은 한인교회를 맡아달라는 것이었다.

"호놀룰루에는 하와이 한인교민회韓人僑民會가 세우고 지원하고 있는 '자유교회Chayu Church'가 있다네. 아주 조그만 교회이지. 내가 자넬 추천했더니 신도들이 모두 자네가 와서 목사직을 맡아주길 원하고 있네. 어서 오시게."

박용만은 목사직을 맡으라 하고 있었다. 더는 머뭇거릴 이유가 없었다. 1913년 1월 28일. 이승만은 샌프란시스코 항에서 기선 시에라Sierra호를 타고 2월 3일 호놀룰루에 도착했다. 호놀룰루 부두에 도착할 때부터 마중 나온 사람들이 서로 두 패로 나뉘어 있어 이승만을 당황하게 하였다.

감리교회 쪽에서 와드먼 목사와 신도들이 나와 있는데, 조금 떨어진 다른 곳에는 박용만이 자유교회 신도들과 함께 이승만을 환영하고 있었던 것이다. 하와이 교민들의 분위기가 심상치 않음을 느꼈다. 나중에야 교민사회가 어떤 갈등을 겪고 있는지 알게 되었다. 박용만이 먼저 이승만에게 다가왔다. 여신도들이 화환을 목에 걸어주었다.

"슬픈 소식부터 먼저 전하게 돼 미안하네."

"무슨 소리야?"

"아버지가 돌아가셨다는 소식일세. 두 달 전에 돌아가셨다는 자네 아내의 편지였네."

이승만은 가슴 복판이 턱하고 막히는 것을 느꼈다. 박용만은 자기에게 온 승만 아내의 편지를 전해주었다. 승만의 주소는 일정치 않았으므로 박용만에게 보낸 것이었다. 그날 사이가 좋지 않아 보였던 와드먼 목사와 박용만은 어쩔 수 없이 이승만을 위한 간단한 환영회를 열어주었다.

밤늦게 이승만은 자유교회라는 곳에서 아버지를

위한 기도를 오랫동안 올렸다. 자상하고 인자한 아버지였다. 가진 전답이나 재산도 없이 몰락한 양반으로 가난하게 평생 살면서도 아버지 경선공은 비굴하지 않았고 남 앞에서는 언제나 당당했다.

그런 아버지가 아들의 효도를 받기도 전에 먼저 하늘나라로 갔던 것이다. 승만은 가슴이 찢어지는 슬픔을 참으며 아버지의 명복을 빌었다.

"정말 안됐네. 자네 아버지, 어머니처럼 아들을 위해 헌신하신 분도 없을 거야. 천국에 가 계시도록 나도 기도했네. 우남! 내일부터 나하고 함께 힘을 합쳐 일해보세."

이승만은 아버지를 위한 기도를 끝내고 친구 박용만에게 물었다.

"내가 잘못 보았나? 와드먼 목사 쪽과 사이가 나빠 보이던데? 이유가 뭐지?"

"그 때문에 자네를 오라고 한 걸세. 와드먼 목사는 친일을 하고 있네. 일본 정부의 도움을 받고 그들의 뜻대로 감리교회를 이끌어가고 있으며 모든 하와이 조선 동포들도 자기 뜻에 따르라 하고 있네."

"와드먼이 친일로 기울어졌다고? 불행한 일이군. 박 교장! 자넨 네브래스카에 있다면서 언제 하와이로 왔지?"

"우리 한인 소년병학교 제1기 졸업생을 배출했네. 13명이 졸업했지. 다시 제2기생을 모집하려고 이곳에 건너왔네."

박용만은 소년 시절부터 친구였고 한성감옥 동지였으며 상동학원 동지였고 이승만, 정순만, 박용만이 3만 의형제로 불린 사이였다. 박용만이 도미 유학을 온 것은 이승만이 도미하던 같은 해1904년였다. 그는 네브래스카 주에 있던 링컨고등학교에서 1년간 수학하고 1906년 헤이팅스 대학에서 정치학을 수학하기도 했다. 박용만은 조국의 광복은 무장투쟁 밖에는 없으며, 그러기 위해서는 군사를 양성하여 무력을 갖추어야 한다고 주장했다. 그 첫 결실이 네브래스카의 농장에 설립한 한인 소년병학교였다. 그래서 그 1기생 13명의 졸업생을 배출했던 것이다.

이승만에 있어서 박용만은 잊을 수 없는 은인이었다. 한성감옥에서 집필했던 〈독립정신〉 원고를 트렁크 밑바닥에 깔아 숨긴 채 미국까지 비밀리에 가져온 사람도 박용만이었고 그 원고를 단행본으로 미국에서 출판하기 위해 동분서주했던 사람도 박용만이었다. 그는 캘리포니아의 독지가들을 찾아 다니며 성금을 모아 1910년 로스앤젤레스에서 간행했다. 그뿐만 아니라 이승만의 아들 태산이를 미국까지 데리고 나온 사람도 박용만이었다.

하와이 교민사회에 지도자의 한 사람으로 먼저 뿌리를 내린 사람은 박용만이었다. 그는 도산島山 안창호安昌浩가 캘리포니아에서 만든 대한국민회 하와이 회장이었다. 1910년 경술국치庚戌國恥를 당하여 나라를 잃게 되자 그 여파는 하와이 교민 사회에까지 파급이 되었다.

조선인의 하와이 이민은 1903년에 시작되어 1913년 현재 총 7천 226명으로 남자가 6천 48명, 여자가 637명, 아이들이 541명이었고 평균 연령은 28세였다. 직업은 사탕수수 노동자로 이민 왔기 때문에 농장 노동자들이었으나 이민 생활 10년이 지나자 노동자에서 벗어나 다양하게 자유로운 직업을 가지고 생활의 안정을 찾아가고 있는 형편이었다.

나라가 망하자 당장 대두한 갈등은 하와이 감리교 선교부와 교민들 간의 대립이었다. 이민 초기부터 감리교 선교부는 조선 동포들을 위해서 교회를 세우고 영어도 가르치며 많은 도움을 주어왔다. 그러나 1910년대 초에 이르러 일본에 의해 조선이 병탈되어 나라가 망하자 감리교 선교부는 조선은 일본의 속방이 되었기 때문에 일본 정부의 방침에 따라 조선인 선교 활동을 해야 한다는 방침을 세웠다.

당연히 조선인들의 분노를 사서 와드먼의 감리교 선교부는 배척을 받았다. 때마침 1912년 10월 5일자 일본계 신문에 실린 기사 때문에 한국인들의 반일 감정이 더 높아졌다. 그 기사 내용에 의하면 감리교 와드먼 목사가 하와이 일본영사관에서 한국인들을 위한 구제금救濟金조로 내놓은 750달러를 받았다는 것이었다. 항의가 빗발치자 와드먼은 감리교에서 운영하고 있는 '한인 기숙학교韓人寄宿學校' 운영 보조비로 받은 것일 뿐이라 해명했다. 한인 기숙학교는 1906년 9월, 하와이 한국인들의 영어 및 생활교육을 위해 세워진 교포 학교였다.

6학년까지 있었고 65명의 학생이 있었으며 한 해 뒤인 1907년에는 미국 정부 인정 사립초중학교가 되었다. 이 학교는 현지 현순玄楯 목사와 한인 목회자들이 교포들로부터 2천 달러를 모금하고 감리교 해리스 감독으로부터 1만 달러를 지원받아 숙원이 이루어졌던 학교였다. 그 때문에 학교는 감리교 선교부에서 운영하게 되었다.

와드먼의 해명에도 한인 교포들의 비난과 분노를 잠재울 수는 없었다. 일본 군국주의자들의 돈으로 우리 자녀를 가르칠 수는 없다는 것이었다. 와드먼 또한 양보하지 않았다. 감리교단이 알아서 하는 학교 운영에 간섭하지 말라는 것이었다.

그러자 교포들은 한인 기숙학교에 들어가 있던 자식들을 모조리 퇴실시키고 퇴학시켜버렸다. 게다가 당시 호놀룰루에 있던 밀스 스쿨Mills School에서는 백인들이 일본, 중국 학생들은 우대하면서 한국 학생들은 차별대우 하고 있는 사실이 문제가 되어 교포들은 이에 항의하고 동맹휴학을 결의했다. 이런 것들이 모두 나라 잃어 벌어지는 억울한 피해라고 인식하게 된 교포들은 자립해야 한다는 데 한마음이 되었다.

그 첫째가 친일로 돌아선 하와이 감리교 선교회와 손을 끊고 한인들의 힘으로 독립 교단을 만들고 독립 교회를 설립하자는 것이었다.

둘째로 자녀의 교육을 위해서는 한인 고등학교를 설립하고 한인 단체가 운영해나가자는 것이었다. 이승만이 하와이에 온 시점은 바로 교민들과 외세와의 갈등이 고조되어 있을 때였다. 박용만은 교민들이 요구하고 바라는 일들을 이룰 수 있는 젊은 지도자는 이승만밖에 없다고 생각했다.

우선 이승만은 하버드, 프린스턴을 나온 박사이고 한국에서부터 정치적 지도력을 보여준 그의 성가聲價는 타의 추종을 불허할 만큼 유명 인사 중 하나였고, 과단성이나 추진력은 기관차 같아서 한번 나서면 물러서지 않는 의지력을 가지고 있으니 이승만이야말로 적임자라고 보았던 것이다.

그래서 박용만은 이승만이 감리교단의 와드먼과

과감하게 결별하고 독자적이며 독립적인 한인 기독교 교단을 만들어 한인교회를 세우게 하자는 것이었다. 아울러 학교 또한 한국 교민 자녀만 다닐 수 있는 '한인 고등학교'를 설립하기 위한 3만 달러 모금을 위해 본토의 교민들까지 참여하고 있었다.

그런데 공교롭게도 와드먼도 박용만과 거의 같은 시기에 이승만에게 하와이에 오도록 초청장을 보냈었다. 와드먼은 박용만과는 동상이몽을 가지고 있었다. 감리교와 자기를 반대하는 한인사회의 여론을 전처럼 자기 앞으로 돌아올 수 있게 이승만에게 부탁하기 위해 초청한 것이다. 이승만으로서는 곤혹감을 느끼지 않을 수 없었다. 이럴 수도 저럴 수도 없는 난감한 처지였던 것이다. 자신을 이만큼 성공하게 해준 배경은 바로 감리교단인데 지금 와서 등을 돌린다는 것은 은혜를 원수로 갚는 거나 마찬가지였다. 그렇다고 감리교의 와드먼 편을 들어주고 교민들의 기대를 저버린다면 마치 매국노처럼 비난할 게 뻔했다. 이승만의 입장은 점점 난처해졌다. 박용만도 결단을 내리라며 압박해오고, 와드먼도 자기네 편에서달라고 압박을 가해왔다. 마침내 이승만은 고민 끝에 결론을 내리기로 하고 박용만과 교민 대표 그리고 와드먼을 부르고 자신의 입장을 밝혔다.

"감리교회는 하와이 이민사와 그 궤를 함께해왔습니다. 교민들에게 그만큼 잘해주었고 교민들 역시 의지하며 신앙생활을 해왔습니다. 그런데 왜 서로 불신하지요? 그 이유를 알고 보니 양자 사이에 일본이 끼어 있기 때문이었습니다. 피해자인 우리가 일본의 패악을 어찌 잊을 수 있겠습니까? 교민들의 그 같은 정서를 고려하고 감리교단은 중립을 지키는 게 마땅하다고 봅니다. 그리고 교민회에서도 너무 강경 일변도로 나가지 마십시오. 국제사회에 좋지 않은 여론이 생길 수 있습니다. 누군들 한국인만의 교회, 한국민만의 학교, 병원 등을 안 갖고 싶겠습니까? 첫술에 배부를 게 아니라면 한 발 한 발 점진적으로 추진해가는 게 좋다고 생각합니다. 가장 좋은 방법은 전처럼 교민들과 감리교단이 서로 화해하고 교민들의 숙원사업을 함께 추진해나가는 것이라 봅니다. 그게 아니면 난 하와이를 떠날 수밖에 없습니다. 선택해주십시오. 와드먼 목사님, 감리교는 정치적 중립을 지키고 한인사회를 돕겠다고 말입니다. 박 학사용만께 제의합니다. 학교 설립 계획도 잠시 미루고 양측이 서로 양보하고 화해하고 합심하겠다고 약조하시오. 그렇게 못 하겠다면 난 본토로 돌아가겠습니다."

배수의 진背水陣을 치고 강경하게 나온 이승만의 요구에 양측은 드디어 타협 양보안을 내놓았다. 이승만이 원하는 대로 와드먼은 중립 안을 받아들이고 교민회는 독자적인 독립사업안을 훗날로 미룬 것이다. 와드먼은 이승만을 감리교 소속의 한인 기숙학교 교장에 임명했다. 교민회 측의 요구조건이었다. 기왕에 있던 한인 학교이니 그 학교를 키워내자는 것이고 이승만이 교장을 맡아야 일본영사관의 개입을 차단할 수 있다고 판단했던 것이다.

9. 호놀룰루 이전투구泥田鬪狗

이승만은 1913년 8월 25일, 교장에 취임했다. 취임하고 그가 맨 먼저 한 일은 교명을 한인 기숙학교에서 '한인 중앙학교韓人中央學校'로 바꾸는 일이었다. 작은 한인 학원들이 많아 그 중심적 학교가 되겠다는 뜻이었다. 이름을 바꾼 후에 학생 숫자가 6개월 만에 36명에서 120명으로 불어났다.

한인 중앙학교는 정규 중등학교로 8학년까지 있었고 공립 고등학교로 진학할 수 있는 인증도 받아냈다. 교과 내용은 영어와 한국어 그리고 한문도 있었는데 한문은 교장인 이승만이 직접 가르쳤다. 이승만은 하와이 교민사회에서는 물론 백인사회에서까지 한인 애국자요, 지도자이며, 백악관까지 알려진 유명 인사로 주목을 받게 되었다.

그해 연말에는 우드로 윌슨 대통령의 딸 제시 윌슨 양의 결혼식이 워싱턴에서 있었는데 하와이에서는 유일하게 이승만이 그 결혼식 파티에 초청을 받아 신문, 잡지, 방송의 중심인물이 되었다. 어찌 되었든 하와이는 방랑자였던 그에게 정치적 유형지流刑地였지만 이제는 새로운 독립운동의 본향本鄕이 되었다.

"정말 다행일세. 이 박사! 이젠 하와이항에 닻을 내리고 제2의 고국으로 삼아 독립운동을 펼치시게."

친구인 박용만이 윤병구 목사와 함께 찾아와서 한 말이었다.

"글쎄 그래도 될까?"

"물고기는 물이 있어야 활동할 수 있네. 정치 역시 자신의 조직 기반이 없으면 자신의 정치 소신을 펼치기 어렵지 않은가? 다시 말하면 평생 자기를 지지해줄 수 있는 지지 세력이 형성되어 있어야 한다는 뜻일세."

"당연한 말씀일세. 지원 세력이 없으면 버텨나가지 못하지."

"한 가지 충고를 하겠네. 언짢게는 생각하지 말게."

"말해보게."

"자넨 나와 좀 다른 생각을 하고 있는 것 같아. 난 조직 기반에 가입하고 그 조직 기반에서 스텝 바이 스텝으로 성장한 후에 정치 일선에 리더로 나서야 한다고 보네."

"그런데?"

"자네의 정치 스타일은 달라. 개인주의적일세. 군중 앞에 서면 자네를 중심으로 사람들이 모이고 인기를 얻게 되면 그들의 지지를 받게 된다. 그게 바로 지지 세력이다. 그런데 왜 힘들게 밑바닥부터 조직화하는가 그렇게 생각하지. 문제는 거기에 있네. 그건 바람일 뿐이고 거품일 뿐일세. 단단하게 조직화하지 못하니까 위기가 되면 와해토붕瓦解土崩, 장맛비에 토담 무너지듯 하고 말걸세. 또 한 가지 단점은 조직의 생리와 운영에 대해 경험을 하지 못한다는 것일세. 단체의 밑바닥에서 한 계단 한 계단 밟아 올라가며 단맛, 쓴맛을 겪으며 성장하는 것이 유능한 지도자가 되는 길이라 보네. 그런 지도자라야만 오랫동안 대중의 존경과 지지를 받게 되고 사랑을 받게 되는 거야. 그래야만 거센 정치적 풍랑을 헤쳐나갈 수 있다고 보네. 하지만 자네처럼 쉽게 얻으면? 풍파가 닥쳐오면 자신의 지지 세력은 흩어지고 자신은 고립무원이 되네. 그렇게 되면 미련 없이 또 다른 단체를 만들고 옮겨 가지. 언제라도 새 단체를 만들면 또 지지 세력이 모인다고 자신하는 거지."

"그만해둬! 이 사람 오늘같이 길게 연설하는 거 처음 보는구먼? 알아들었으니 그만해. 헌데 그런 말을 갑자기 하는 이유가 뭔가?"

"난 자네에게 보낸 편지에도 여러 번 내 소신을 밝혔네. 난 조국광복은 무력 양성밖에는 길이 없으며 무력 항쟁으로 쟁취해내야 한다고 했었지."

"그래서 병학교兵學校를 만든 거 아닌가?"

"자넨 찬동하지 않더구먼?"

"무력도 중요하지만 먼저 정치, 사회, 문화 각 분야에서 우국 인재를 길러내고 국제 외교로 승부를 내자는 게 내 주장일세. 정치는 살아 있는 생물生物이지. 언제나 변화무쌍한 거야. 미국이 자국의 이해 상관 때문에 일본의 군국 팽창주의를 지금은 눈감아주고 있지만 언젠가는 서로 미워하는 적국이 될 수 있네. 언젠가라는 게 중요하지. 내일 아침일 수도 있고 한 달 후일 수도 있고 1년 후일 수도 있네. 지도자는 선견지명이 필요하네. 빨리 판단하고 찬스가 왔을 때는 즉시 외교로 승부를 보는 거지."

"그래서 하는 말인데 우남. 자넨 하와이를 중심으로 한 미주 한인들의 국민적 힘을 모아주게. 교회와 학교 친목단체, 사회단체 등을 망라해서 이끌고 나가달란 말일세. 그래서 자넬 이곳에 초청한 거야. 그리되면 우리 병학교는 그 산하에 들어가 성장해야겠지."

박용만은 이승만이 하와이를 비롯한 미주에 있는 모든 동포의 정치적 리더가 되어달라는 뜻이었고 자신이 하는 군사양성학교도 통합해달라는 것이었다.

"기다리고 있었던 것처럼 날 리더로 맞아줄 리도

없는데 김칫국부터 마시란 말인가? 아무튼 자네 뜻은 알았네. 고마워."

박용만과 윤병구는 돌아갔다. 며칠 후 윤병구 혼자 다시 찾아왔다.

"웬일이시오?"

"차를 한 대 빌렸소. 하와이 섬 유람이나 합시다."

"거 좋지요. 갑시다."

흔쾌히 대답하고 윤 목사가 운전하는 포드 차에 올랐다. 하와이군도 여러 섬 중에서 사람이 사는 섬은 모두 8개였다. 배 안에 차를 태우고 여덟 개의 섬을 차례차례 돌았다. 사탕수수공장이나 밭에서 일하는 한인 노동자들도 많이 흩어져 살고 있었다. 그들의 빈한하고 고생스러운 생활을 일일이 살핀 이승만은 한숨을 내쉬며 윤병구 목사에게 고마움을 표했다.

"이제야 동포들의 삶이 어떤지 알게 되었소."

"이 박사! 당신은 하와이를 제2의 고국으로 삼아 정치 지도자의 꿈을 키워야 하오. 조선 팔도와 하와이 8도島는 닮지 않았소?"

"그렇군요. 윤 목사님, 고맙소. 그렇게 해보리다."

이승만은 윤병구의 두 손을 굳게 잡았다. 조국이 광복되고 독립할 때까지 하와이를 재기의 무대로 삼겠다는 결심을 굳혔던 것이다. 일단은 교회를 중심으로 복음 운동을 펴는 한편 교민들과 함께 음성적인 독립운동을 확산시켜나가겠다는 생각을 하게 되었다. 기독교를 앞세운 것은 자신이 크리스천이기 때문이기도 했지만, 일제와 친일 세력들의 주목을 피하고 활발한 활동을 할 수 있었기 때문이었다. 그러기 위한 하나의 방편으로 국제 YMCA 하와이 지부를 설립기로 했다.

한인들만 상대해서는 국수주의적인 애국 운동이 될 수밖에 없으니 YMCA를 창설하여 백인사회와 교통하고 그들의 지지를 받아내는 것이 필요하다고 보았던 것이다. 이승만의 청원서를 접수하고 YMCA 국제본부와 국제위원회에서는 지부 설립을 허가했다. 이승만은 곧 동경 YMCA에서 봉사하고 있던 최상호崔相浩를 호놀룰루로 불러들였다. 최상호는 이승만이 서울 YMCA 학감 교사로 있을 때 그에게서 배운 제자 중 하나였다. 드디어 4월 16일, 하와이

YMCA가 많은 백안 유지들과 교민들이 참석한 가운데 성대하게 창립식을 했다.

최상호는 총무를 맡았으며 아울러 한인 중앙학교 교사까지 하기로 했다. 이승만의 기독교 교육 운동은 본격화되었다. 중앙학교는 점차 학생 수가 불어나 기숙사 문제가 심각해졌다. 학생들은 호놀룰루 인근뿐 아니라 하와이 여러 섬에서 유학을 온 데다가, 하나같이 그 학생들의 가정은 가난하기 이를 데 없었다. 대부분이 농장 노동자 아들이었던 것이다. 이승만은 감리교 본부의 지원과 교민들의 성금 등을 모은 4천 900달러로 남학생 기숙사를 완공했다. 여학생 기숙사가 문제였다. 어려움 끝에, 그것도 교민들이 갹출한 돈 2천 달러로 여학생 기숙사도 완공했다.

한편 안창호 등이 만든 대한인국민회 총회는 숙원이었던 하와이 총회 회관 겸 국민보國民報사 사옥을 완공했다. 3년 동안의 모금으로 이룩한 결실이었다. 박용만은 국민회 일에 열성이었고 또한 그해 8월 30일에는 호놀룰루 북쪽 카할루의 농장에 150명을 동시 수용할 수 있는 2층 건물을 완공하였다. 이른바 박용만의 사관학교 격인 '대조선 국민군단 병학교大朝鮮國民軍團兵學校'가 개교하게 되었던 것이다. 교민들은 북쪽 산 너머에 있다고 하여 '산 너머 병학교'라 부르게 되었다. 박용만의 성가가 드높아지고 교민들의 자긍심을 높여주었다.

더구나 2월 1일은 마침 하와이 대한인국민회 창립 5주년 기념일이었는데 기념행사 일환으로 박용만은 구한국舊韓國 군인 출신 군인들과 학생 등 250명을 동원하여 제식훈련 시범을 보이고 시가행진을 벌여 박수갈채를 받았었다. 그 후 이 군사 퍼레이드는 하와이 주 정부에 의해 다시 한번 초청되었는데 조지 워싱턴 탄생 기념일 행사였다. 그 퍼레이드에 참가하여 미국인들의 주목과 박수를 받기도 했다. 그 끝에 병학교가 탄생한 것이다. 이승만은 교민 잡지와의 인터뷰에서 박용만의 군사 퍼레이드 참가 성과에 긍정적인 평가를 했다. 교민들의 자존심을 지켜주고 자긍심을 높여주는 데 큰 도움을 주었다는 것이다. 그러나 속으로는 못마땅하게 생각하고 있었다.

그러던 어느 날, 중앙학교 교장실로 하와이 YMCA 최상호 총무가 찾아왔다. 그는 중앙학교 교사이기도 했지만, 하와이 여러 섬을 돌아다니며 YMCA 지회를 결성하고 있었다.

"이제 결성이 거의 끝나가지?"

"한 군데, 몰로카이 섬만 남았습니다."

"탄탄하게 조직화해야 하네."

"물론입니다."

이승만은 YMCA 조직을 전 하와이 군도로 확대하여 자신의 입지를 다지는 데 큰 역할을 해주기를 바라고 있었다. 차를 마시고 있던 최상호는 무슨 생각이 들었는지 잠시 뜸을 들이다가 한마디 했다.

"박사님께서 박 학사님을 되도록 빨리 만나시죠?"

박 학사朴學士는 이승만이 박용만을 부를 때 쓰는 호칭이었다. 박용만도 헤이팅스 대학에서 학사 공부를 했기 때문이었다.

"왜 그래야 한다고 생각하나?"

"국민회의 독주를 막지 않으면 큰일 날 것 같습

니다. 여러 섬에 돌아다녀 보니 국민회에 대한 원성이
많았습니다."

"뭐에 대해서?"

"너무 많이 뜯어간다는 겁니다. 회관을 건립한다,
군대를 만든다, 퍼레이드를 한다, 갖가지 명목으로
교민들에게 손을 내밀고 있다는 겁니다. 중국인
노동자나 일본인 노동자에 비하면 우리 노동자들의
수입은 형편없습니다. 한 달 평균 수입은 20달러
수준이었는데 국민 의연금이란 명목으로 국민회가
달마다 5달러를 내라 하고 그 외 성금 조로 또 걷어
가는 게 1년에 20달러가량 된다고 합니다."

"국민회가 걷어 들이는 돈이 연간 20달러라고?"

"그렇습니다. 그리하여 주정부의 각종 세금과
국민회 성금과 생활비를 제하고 나면 저축할 수 있는
돈은 매월 2달러 50센트, 1년에 고작 31달러랍니다.
얼마나 가난하게 사는지, 왜 미래가 없이 사는지
알만하지 않습니까?"

최상호의 얘기를 듣고 난 이승만은 침통한
표정으로 한동안 말이 없었다. 그러다가 무겁게 입을

열었다.

"그 문제는 평소에 나도 심각하게 생각하고 있었네. 금년 국민회 예산 편성을 보니까 대부분이 박용만의 병학교 육성에 들어가는 예산이어서 놀라게 했네. 우린 여학생 기숙사 하나 짓는데 갖은 우여곡절을 겪었는데 그들은 교민들에게 반강제로 걷어들이고 있어. 국민회는 마치 하와이 조선 정부처럼 행세하고 있단 말이야? 말이 의연금이지 준조세準租稅라는 거지. 국가에서 세금을 걷어 가듯 마땅히 교민들은 세금을 바치라는 식이야."

"그래서 박 학사를 만나시어 담판을 지으시라는 겁니다. 군대 시위는 전시효과밖에 안 되는 것 아닙니까? 국내 각처에서는 의병義兵들이 기병하여 일제와 싸우고 있다 합니다. 그뿐만 아니라 만주에서는 독립군들이 싸우고 있답니다. 천 리 머나먼 태평양 섬에서 몇백 명 군사를 양성하여 어쩌자는 겁니까? 허공에 주먹질하는 거나 마찬가지지요. 훈련을 시키면 아예 만주로 잠입을 시켜 일본군과 싸우게 하든가요. 아니면 양병비養兵費로 모아 독립군들에게 군자금으로 보내든가 말이죠. 시급한 것은 교민들의 생활 개선이고 질적 향상입니다. 그보다 중요한 것은 교육 아닙니까? 가르쳐서 실력을 쌓아야 일제를 이기지요?”

최상호는 열변을 토했다.

“그 비슷한 말을 박 학사 만났을 때 나도 했었다네. 그 친구도 고집이 보통 아니야. 박 학사는 오히려 날 설득했네. 날 하와이로 초청한 것은 자신의 군대 양성 계획을 지원하고 내가 맡고 있는 한인 중앙학교와 자기가 세운 병학교를 합병하자는 것이었네. 그러면서 나더러 한인 자유교회를 맡아 하와이 한국인 신자들을 하나가 되게 하여 국민회의 근간이 될 수 있게 해달라고 했지.”

“그래서 뭐라 하셨습니까?”

“전적으로 도와줄 수 없는 이유를 설명해주었지. 힘이 없어 망했으니 힘무력을 키워 이기자. 그건 단순 논리이다. 더구나 이곳은 태평양 복판인 미국이다. 국제 관계의 흐름을 직시해야 한다. 미국과 영국은 일본을 아시아의 지도국으로 인정하고 그 역학 관계 위에 ‘박스 퍼시픽’ 태평양의 평화를 이룩해야 한다

하고 있다. 친일본 정책을 취하고 있는데 무력 양성을 하며 시위를 한다면? 그 호전성을 받아주지 않을 것이다. 그리되면 우리는 우방을 잃어버리게 된다. 그보다는 기독교 복음화를 꾀하여 교민사회를 업그레이드를 시키고 교육으로 승부를 보아야 할 것이다. 내가 박 학사를 전적으로 도와줄 수 없는 이유가 바로 그 점이라 했네. 그리고 또한 국민회에 전적인 협조를 할 수 없는 이유도 설명했지. 교민들을 위해 만들어진 교민회라면 모르지만, 그보다 상위 기관인 것처럼 군림하고 교민들에게 의무적으로 의연금 조로 세금처럼 물리고 있다면 위법이 아닐 수 없다. 박 학사는 병학교를 중등 혹은 고등학교로 바꾸고, 국민회는 준조세를 부과하는 것처럼 하는 행위 등을 없애야 한다.”

“박 학사께선 이해를 하셨나요?”

“전혀! 등을 돌려버렸네. 어려서부터 서로 다투면 내가 먼저 등을 돌렸는데 이번엔 그가 먼저 등을 돌렸지. 자기는 자기 길을 갈 테니 나는 나의 길을 가라는 거였어.”

"그래도 한 번 더 만나 설득해보시지요."

"그래야지."

이승만은 그 후 박용만을 다시 만났다. 그러나 그의 의지와 뜻을 꺾을 수 없었다. 이승만은 YMCA 지회가 하와이 각지에 세워지자 곳곳을 돌며 창립 예배를 드리고 강연을 했다. 그 강연에서 두 가지 잘못을 지적했다.

첫째는 박용만의 군사 양성은 우방들에 우리의 호전성好戰性만 내보이는 결과만 가져와 따돌림당할 것이니 중지해야 마땅하며, 교민들의 성금을 모아서 병학교 주력 사업만 하고 있다는 것은 부당한 처사이다. 미래도 없는 병학교 주력 사업에 쓸 돈이라면 한인 고등학교 설립에 써야 하고 한인들을 위한 교회 설립에 써야 마땅하다.

둘째, 대한인국민회는 조선 정부가 아니다. 세금처럼 징수하는 처사를 즉시 중단하고 국민회에 줄 성금이 있으면 한인 중앙학교에 내주기 바란다.

그 같은 내용의 연설을 하고 다니자 교민사회는 동요되기 시작했고, 그렇지 않아도 시도 때도 없이 손을 내미는 국민회에 불만을 느끼고 있던 터라 이승만의 연설에 동조했다. 이쯤 되자 박용만과 이승만의 사이는 다시는 예전처럼 가까워질 수 없게 이미 루비콘을 건너고 말았다. 이승만의 선동에 국민회 내부에서도 분열이 일어났다. 이승만을 반대하는 측과 옹호하는 측으로 양분된 것이다. 게다가 잠복해 있던 국민회의 폭탄이 터졌다. 완공된 총회회관 건축비 사용 내역을 실사한 결과 수금위원인 박상하가 831달러, 재무위원 홍인표가 1천 543달러를 착복한 사실이 드러났던 것이다.

그러자 김종학 회장과 간부들은 연말까지 그 돈을 갚는 선에서 그냥 넘어갔다. 그것을 보고 이승만은 1915년 2월호 〈태평양잡지〉에서 문제로 삼았다. 그 동안 국민회가 교민들에게 피해를 준 사례가 수도 없으며 교민들을 위해 일을 하는 게 아니라 병학교 주력 사업을 위해 일을 하고 있었다. 그러면서 부정을 저지르고 기금을 착복한 사실마저 쉬쉬하고 그냥 넘어간다는 것은 어불성설이다.

책임자와 범법자는 벌을 받아야 하며 모든 교민은

이제부터 국민회에 의연금을 내지 말고 교육 사업에 매진하는 나 이승만에게 달라, 그런 내용으로 포문을 열었다. 그러자 교민들의 여론이 들끓고 국민회에 대한 비난이 일어나자 수습을 위한 대의원총회를 다시 열어야 했다. 총회가 열렸고 그 자리에서 김종학 회장이 물러나고 이승만계였던 정인수가 임시 의장으로 추대되었다. 양분된 국민회를 속히 통합시키고 교민들의 동요를 막으라는 뜻이 임원 개선에 담겨 있었다. 임시 의장 정인수는 새 임원 선출을 앞에 두고 맨 먼저 시작한 일이 회계장부 조사였다.

이번에는 전 회장 김종학의 횡령 사실이 드러났다. 그 돈을 갚으라고 할 수도 있었으나 미 법원에 고발하기로 하고 5월 30일 새 임원 선거를 위한 대의원 총회를 다시 열었다. 그러나 박용만파가 회의장에 난입하여 훼방하는 바람에 총회가 무산되었고 6월 5일 다시 열린 총회에서 감리교 목사 홍한식洪翰植이 새 회장에, 안현경安玄卿이 총무로 선임되었다. 홍한식과 안현경은 이승만계였다. 이로써 하와이 국민회가 이승만에게 넘어온 것이다. 이승만이 국민회를 접수하게 되자 박용만은 자기들을 지지하던 대의원들을 동원하여 새로 취임한 안현경 총무를 재무 횡령으로 걸어 문제 삼고 역전을 노렸다.

이에 이승만은 〈국민보〉에 박용만을 정면으로 공격하여 무력화시켜버렸다. 박용만은 결국 남은 지지 세력을 이끌고 새로운 단체를 만들기 위해 뛰쳐나갔다. 안창호는 내부에 남아 국민회를 바로잡지 못하고 나온 박용만의 분파 행위를 크게 비난하기도 했다. 어찌 됐든 국민회가 이승만에게 넘어왔다는 것은 하와이에서 이승만 시대가 열리게 되었다는 것을 의미했다. 이승만은 우선 하와이 교민들의 자녀를 망라한 남녀공학 학교를 세우고자 했다. 재정적으로도 국민회에서 넘어온 자금이 남아 있어 가능했다.

엠마 지구에 있던 국민회 땅과 한인 여학원韓人女學院 부지를 처분하고 카이무키 지역에 있던 건물을 사 남녀학생 기숙사까지 갖춘 '한인기독학원韓人基督學院 Korean Christian Institute'을 설립했다. 남녀공학 중·고등학교가 탄생하여 이승만의 기독교적 교육 철학을 펼칠 수 있는 기틀을 마련하게 되었다.

한인 기독학원은 그 후 미 MIT대와 견줄 수 있는 명문을 만들어달라는 이승만의 염원에 따라 국내에 옮겨져 인하공대仁何工大의 모태가 되기도 했다. 인하는 인천에서 인, 하는 하와이에서 하를 따 인하공대라 명명한 것이다. 그리고 그해 12월 '한인 기독교회'도 설립하게 되었다. 한국인들만의 교회가 생긴 것이다.

이로써 이승만은 하와이 감리교와 완전히 손을 끊고 독립된 교단을 갖게 되었고, 독립된 학교를 갖게 되었다. 이는 당시 주정부 정책과는 반대되는 시책이었다. 미국은 다인종, 다문화 국가이기 때문에 모두 융화되고 화합되는 정책을 추진하고 있었다. 교회도 다인종이 모이는 교회, 학교도 다인종이 공학하는 학교를 원하고 있었기 때문에 한국인만을 위한 학교, 교회를 주장하는 건 반대하고 있었다.

하지만 이승만은 굽히지 않았다. 이제야말로 자신의 정치적 소신과 조국 광복을 위한 독립운동을 펼쳐갈 수 있는 무대가 만들어졌던 것이다. 이는 자신만의 무대를 만들기 위해 싸워서 얻은 것이었다.

〈2권으로 계속〉

건국 대통령 이승만 1

1판 1쇄 발행 2024년 3월 26일

지은이 　　　유현종

발행인 　　　김성룡
편집 　　　　김다혜
교정 　　　　심영미
디자인 　　　김민정
사진제공 　　김일권

펴낸곳 　　　가연
주소 　　　　서울시 마포구 월드컵북로 4길 77, 3층 (동교동, ANT빌딩)
문의메일 　　2001nov@naver.com
구입문의 　　02-858-2217
팩스 　　　　02-858-2219